To my granddaughers Analee, Lucia and Camryn and to my grandson Maximiliano.

—JAG

Ignacio Zaragoza Seguín
My Story of Cinco de Mayo

JOSÉ ANGEL GUTIÉRREZ

PIÑATA BOOKS
ARTE PÚBLICO PRESS
HOUSTON, TEXAS

Ignacio Zaragoza Seguín: My Story of Cinco de Mayo is funded in part by grants from the Texas Commission on the Arts and the National Endowment for the Arts. We are grateful for their support.

Arte Público Press and the author are grateful to Mei Leebron for her careful editing of the English version.

Piñata Books are full of surprises!

Piñata Books
An imprint of
Arte Público Press
University of Houston
4902 Gulf Fwy, Bldg 19, Rm 100
Houston, Texas 77204-2004

Cover design by Mora Des!gn
Cover art by Stephen Marchesi

Library of Congress Control Number: 2021935222

Printed in the United States of America

August 2021–October 2021
Versa Press, Inc., East Peoria, IL
5 4 3 2 1

Contents

CHAPTER 1

WHO I AM

My full name is Ignacio Zaragoza Seguín. I became a general in the Mexican Army. My troops won the Battle of Puebla against the French on May 5, 1862, which is celebrated as a holiday known as *Cinco de Mayo*. This is the story of how I became a hero.

When I was growing up, I learned a lot from my parents, my mother mostly. In school, I always asked questions, but as I grew older, I learned a lot more from books. I always loved to read about history. Books were my special ships, capable of sailing to other lands in my mind.

My father, Miguel Zaragoza Valdés, was a handsome man and a soldier. The Zaragozas were a military family. This military tradition ended with me, though, because my sons died as infants. My mother's side was the Seguín family. She was María de Jesús

Seguín. Women got to keep their own last names when they married, which is what my mother did.

When my grandfather, José María, came from Spain to the New World as a soldier, he landed in Veracruz. He stayed there and started a family. My father was born in Veracruz, the port city where all those coming to New Spain would land. My father enlisted in the Spanish Army and in 1810 he was sent to Nacogdoches in Spanish East Texas. He was trained in the basics of loading and shooting his musket, as well as in the use of his bayonet.

Nuestra Señora de Guadalupe de los Nacogdoches, its full name, was a mission established in 1716 in *Tejas*. It was the oldest town in Spanish Texas and named after the indigenous peoples who used to live there, the Nacogdoches tribe. The word *tejas*, which gave its name to our region, came from a word meaning "friend" in the language of another tribe.

The French invaded this area of Tejas three years later and held the territory for a while. The entire region was given back to Spain by the French in 1773. Nacogdoches became an important trade route between the new republic to the north, named the United States, and New Spain. Captain Gil Antonio Ibarvo built a fort there. In those years, the people in New Spain were trying to get their independence.

I learned this and other stories during *merienda*, the snack we enjoyed every evening. My mother served her *merienda* with strong coffee and something sweet. I drank tea because I hated coffee. During these *meriendas* she would tell me story after story about my father. Elodio, my older brother, did not like to hear stories; he preferred to be outside playing.

CHAPTER 2
How My Parents Met

My mother, María de Jesús Seguín, was born at one of the five missions along the San Antonio River, the one named San Antonio de Valero. Missions were usually protected by forts called *presidios*. My mother was born in the Presidio del Espíritu Santo de la Bahía in southern Texas. She grew up there, and later I would spend part of my childhood there.

My father first saw my mother walking at the plaza in front of the San Fernando Cathedral in San Antonio. He was on guard duty at the army headquarters across the street from the plaza. That's when my father asked some friends who the pretty girl was. He wanted to court María de Jesús.

My mother confessed to me that she knew he was not the best man for her because of his military duties. He was always going to be on patrol and spending days with other soldiers. She, nevertheless, fell in love and married him. Maybe because he was dashing or more down-to-earth or because soldiers earned regular pay. Soldiers and their wives did not have to farm or hunt for food like other frontier people did. Many of them also did not stay in the military forever. Mother hoped this would be the case with my father, that he'd leave the army and settle down.

My father finally learned her name and address. He boldly went to her house and introduced himself. Then he asked permission from her father to come visit her whenever he could, no trace of timidity or fear in his voice. In less than a year, he asked for her hand in marriage. Her father thought he would make a good husband; her mother did not. My grandfather-to-be gave permission for Miguel Zaragoza to marry María de Jesús Seguín with his blessing. On July 5, 1826, they married at the same place he first saw her, the Catedral de San Fernando, the oldest church in Texas.

The recently married Zaragozas soon started a family. Their first born was Miguel Elodio, whom we always called Elodio and not Miguel, like our father. I was the second son, born on March 24, 1829. My sister Genoveva was born in 1833 and, a year later, another girl, Elena. She died shortly after coming into this world. Dolores was born in 1842 and in 1845, the last boy, José María de Jesús Zaragoza Seguín, was born. I was sixteen years old by then. My clearest recollections, though, are of my older brother, not my younger sisters or little brother.

CHAPTER 3
Mexico Wins Independence

Over *pan de polvo* (my favorite cookies) and her coffee during our *merienda*, my mother told me the story of how Mexico became independent from Spain. According to her and to books I later read, the Mexican war for independence began in 1810. It was set off when two Catholic priests, Miguel Hidalgo y Costilla and José María Morelos, began agitating their parishioners to protest and fight Spanish rule. They wanted equal rights for people born in New Spain; Spaniards from Europe dominated everything and thought themselves superior to the peoples of indigenous and mixed racial backgrounds, or even the children born of Spaniards in the New World. Both priests were captured in battles and killed by the Spanish army. After a long war in which many people of all backgrounds died—Native Americans, *mestizos,* Creoles and others—Spain's Queen Isabella II surrendered and signed the Treaty of Córdoba that recognized the independence of Mexico on August 21, 1821.

That same year, my father was transferred from Nacogdoches to San Antonio. My father had to change his Spanish uniform and swear allegiance to a new flag: the Mexican flag. The Spanish flag we had at home was pretty, with the king's crown, lions, castles and two bright colors. I was curious as to why the Mexican flag had an eagle with a snake in its claws and beak while perched on a *nopal* cactus. The colors were bright also: red, white and green. It turned out the Mexican flag commemorates the founding of Tenochtitlán, the Aztec capitol which became Mexico City. In this way the new Mexican republic identified with the indigenous people of the New World. In fact, most names of cities and many other places still carry the Nahuatl names.

My mother said that as long as she could remember, one group of Mexicans who wanted equality and freedom fought with another group of Spanish loyalists who wanted a Catholic monarch to rule. She said that back then, there was not much difference between government and the church because the Catholic Church had all the money and the government had little and would have to borrow from the Church. Soon, the Spanish loyalists would clash with the liberals who wanted a new nation, a Mexico free and independent of European control.

CHAPTER 4
Texas War for Independence

Although Texas still belonged to Spain, the Spanish king allowed Anglo Americans from the United States to come and settle. The king gave them land that belonged to the Native Americans and they encouraged more Anglos to move there. When Mexico won its war and became independent of Spain in 1821, the practice of giving lands to Anglos continued. In 1825, Stephen F. Austin, son of the first Anglo to get a land grant from Spain, was among the first legally admitted settlers by Mexico. This country gave him and his group of settlers land as long as they promised in return to be loyal to the Mexican government, be good Catholics and not bring African slaves into Mexico. But the Anglos did not want to abide by Mexico's laws against slavery. Stephen F. Austin himself had 443 African slaves by 1830. By the time of the Texas Revolution in 1835, there were more than 5,000 enslaved Africans in Texas. Many Anglos, like Austin, had immigrated from the southern United States where the whole economy was based on the inhuman treatment of slaves who were forced to do all the hard, manual work for free. Mexico had abolished slavery shortly after its independence. In fact, slaves would often run away from the South to freedom in Mexico.

In part to protect their slave economy and to practice Protestantism, the Anglos and some Tejanos (Mexican Texans) wanted to break away from Mexico. In 1835, when the number of Anglo Texans had grown to rival the number of Mexicans in the South, they began to fight for independence from Mexico. Some Tejanos sided with the Anglos against Mexican rule. Others wanted the Anglos removed and sent back to where they came from. Fortunately for my family, when these first fights occurred between Anglo Texans and Tejanos, my father was transferred from San Antonio to a new post further south, near the Rio Grande River.

The fighting between Anglos and Mexicans was up in San Antonio and over in Nacogdoches, where my father had first been stationed. Our growing family felt lucky that this new place, Goliad, was far away from the current battles between the new Anglo settlers and newly independent Mexicans. My father, Miguel Zaragoza, was now a soldier for Mexico, not Spain, and a sergeant in rank. He explained how the

Mexican president was also going to be the top general of the Mexican army. Antonio López de Santa Anna was his name.

General Santa Anna marched his soldiers near our family home at the Presidio de la Bahía del Espíritu Santo while on his way to San Antonio. He was going to rid Texas of all those illegal Anglo trespassers who brought slaves and rebelled against his government. By this time, many battles had taken place between Anglo rebels and Mexican soldiers. The conflict had escalated into a real war.

I remember how worried my mother got every time my father left the fort with other soldiers. She did not know where he was going or if he would ever come back. She had heard from her relatives, the Seguíns in San Antonio, from time to time that the Anglos were trying to stop being part of Mexico. She also told me her own uncle Erasmo and her cousins were fighting on the side of the Anglos against Santa Anna.

My father was not happy about that, at all. But both my parents were glad Santa Anna had not ordered our father to fight the Anglos in San Antonio. Mother said she and my father had stayed up talking almost all night about that horrible possibility. The next day, he received new orders but told us not to worry. The whole family and all soldiers from his fort were going further south. I remember packing our few belongings, clothes and anything else we could carry. We had to leave Goliad immediately and move with the other families south across the Rio Grande into Matamoros.

We helped mother load our belongings onto a cart, one of many pulled by mules. We headed south alongside the San Antonio River until it joined another river, the Guadalupe, and later the Gulf of Mexico. We had to leave behind our bows, arrows, slings and my turtle shell. We could make more of those at our new home. My father stayed behind to make sure everything was removed from the fort.

Once we settled in Matamoros we learned that Texas won the war and was now an independent republic. Later, in 1845, Texas became a state in the United States. That year, 28% of all people in Texas were African slaves. Though it's difficult to imagine, there were more African slaves living in Texas than there were Mexicans. In 1800, more Spanish people had lived in Texas than Anglos, and even when Texas became Mexican in 1821, there were still more Mexicans than Anglos. This new state was a Texas we did not recognize. It had, until recently, been part of Mexico, but now it seemed not to want Mexicans within its borders.

CHAPTER 5

The Years at the House by the Presidio

I miss the years my family lived just outside the *presidio*, the fort. So many memories were tied to that place. In 1821, my parents were given a tiny house just outside the walls of the Mexican fort by its new commanders. Single soldiers lived inside the fort and the married soldiers and officers lived just outside the walls in little houses. As I said before that fort, named Presidio de la Bahía del Espíritu Santo (meaning "Fort of the Holy Spirit Bay") was the same place where my maternal grandparents had lived many years earlier. Not the same house but the same region.

In 1721, the Spanish king, Felipe V, ordered the construction of the fort. It was not finished until 1729. One hundred years later, around the time I was born, the name of the fort changed to Goliad. The fort and surrounding homes grew rapidly with more new people coming every year. The outlying area populated by new families also took on the name Goliad.

In the year my father was born, 1829, about 795 people lived in Goliad, mostly in and around the fort. Some people, including my mother, would say Goliad is an anagram. I asked her to tell me more because I did not know what that word meant. She told me that an anagram is a remade word or phrase from the letters used to make another word or phrase. It confused me at first, but then I began to see it as a good puzzle. Goliad is made up from the letters actually pronounced in the name of Mexican independence hero Hidalgo. The "h" is left out because it is silent in Spanish pronunciation. So, our town was named after that great man, Miguel Hidalgo, who had famously shouted at the top of his lungs for Mexican independence from Spain.

Our little house had a tiny kitchen and two bedrooms. Each room had a window high up on the wall and two doors at its front and back. My parents slept in one of those rooms and, later, with the baby girls in bed with them. My older brother, Miguel Elodio, slept in the other room with me. The house was made of *adobe*, sturdy bricks of mud and straw. Dirt is mixed with water to make the mud, then mixed with a little straw into a cake. The mud cake is left to dry under the sun. Once hard, these cakes or bricks are used to build homes, walls, forts and other buildings. Some people plaster over the bricks with a mixture of sand, lime and *caliche*, a clay-like white dirt found in that area. Seen from a distance, the houses on our street looked solid white.

According to my mother, I was not a cry baby. She nursed me about every three hours and I would promptly fall asleep. I only cried when I had a wet *pañal*, my diaper, or was hungry again. By the time three months had passed, I was sleeping all night, much to the relief of Mamá. My father was also happy with this development because he would also wake up to my crying for Mamá's milk in the middle of the night. I never got sick when I was little. I was a healthy baby full of joy, always smiling and making happy noises.

Since Elodio was two years older, once able, he had to help carry dirty diapers down to the river to wash. He also helped bring water to the house. When I was older and able, we both had to work around the house and garden. Miguel Elodio had to help mother by watching me while she worked in the house or down by the river. We also helped her tend to the vegetable garden behind the house and to our chickens. As I grew older and was able to help, I hated the job given to me by Miguel Elodio. I had to pull weeds from the garden. Often, I would get in trouble with Elodio and Mamá because I pulled vegetables, mistakenly thinking they were weeds. I could not tell the difference yet.

When not working for our mother, we would play in the house, outside or down by the nearby San Antonio River. When we went off into the wooded area, she always warned us about *la hiedra venenosa*, poison ivy. That vine grows on trees, and the oil on the dark green leaves makes you itch so much, once it gets on you, you'll never forget it. And you never want to scratch that itch because that oil will just get under your fingernails and any other part of your body you touch will then get the itch also. It does not go away unless you keep washing the area with soap and putting mud cakes on it to stop the itch. Elodio got it one time. I had to mix the water with dirt to make the mud cake my mother applied to cure him.

We would also haul water from the river for our mother to boil in a big kettle on the open fire in the yard. I hated that long walk with heavy jugs of water, trudging back and forth until she decided she had enough. The jugs hurt my hands and fingers. Making the outside fire, however, was fun. I enjoyed gathering the dry wood by the river.

When I was small I tried throwing rocks at animals and birds, hunting like Elodio did with his sling. I could not make the rocks go far or fast, nor was I a very good shot. I missed my prey by quite a distance. Finally, Elodio taught me how to make a sling to shoot stones at birds, squirrels and rabbits. One day, my father brought home leather strips, thin and long, to make our slings. We used rabbit skin to make the pouch and punched two holes on each edge of the pouch to tie the leather cords. To shoot rocks from the sling, you had to twirl it around and around, then release one cord at just the right time to hit a target. At first, Elodio forgot to tell me in which direction to twirl the sling. I did not pay close enough attention to this detail. If you twirl the sling clockwise when you released the stone it goes backwards behind you. You must twirl it counter-clockwise so the stone will go forward when released. It took a lot of practice, but I eventually learned.

Dad once brought home a bow and some arrows. The Mexican soldiers occasionally got into fights with indigenous tribes native to the area. When the indigenous people lost a battle or were killed, sometimes the soldiers would gather the bows, arrows, axes and lances left on the ground. Father taught Elodio how to make his own bow and arrow, because the one he brought home was too hard to pull and bend. It was a grown man's bow, and the arrows were long. The best wood to make a bow was not mesquite nor oak or poplar; it was laurel. The laurel bush can grow tall with straight branches and just the right thickness, about an inch at most. A laurel branch will bend and not break. This is what makes it ideal wood for a bow. Laurel arrows are also good because they are straight and not crooked like mesquite branches. Eventually,

Elodio taught me how to make my own bow and arrow. We would go hunting together by the river with our bows and arrows and slings. We brought home what we managed to kill: mostly birds, some squirrels and an occasional rabbit.

I also learned from Elodio how to fish. We made our fishing poles out of long straight sticks found in areas called *carrizales* near the river's edge. There was no poison ivy in the *carrizales*, which was a good thing. *Carrizo* means "reed." And these reeds were, like bamboo, really hard to break. Elodio had to teach me the difference between the *carrizo* and the *caña de azúcar*, or sugar cane, which looked similar. Sugar cane is also long, straight and tough. When you can peel or break off a piece, the inside is extremely sweet to chew. My mother would use glass bottles and rocks to squeeze peeled *caña* to make juice. We also used to suck on a piece of sugar cane as a treat.

The women at the fort would peel strips off the *carrizo* stalks and weave them tight to make baskets. My mother had several such baskets. They were very pretty to look at and very sturdy and strong. Had she not told me about that, I would never have guessed the baskets were made from strips of *carrizo*.

Fishermen also put *carrizo* to use. They made a sharp point at one end of a *carrizo* pole with their knives in order to fashion it into a spear to impale fish near the riverbank or in the shallows. I did not like to eat fish, only to spear them. Being the younger brother, I was made to clean our catch and hated the smell of fish that lingered on my hands even if I washed them.

CHAPTER 6
The San Antonio River

In some places the river was shallow enough for us to wade in it up to our knees and see fish swimming around us. When we were able to spear a fish or two, we returned home. But Mother made me clean them out in the yard. I had to throw away the insides and scales far from the house. The fish were smelly and hard to clean. The more we scraped the scales on the skin, it seemed that more would come up. I hated having to skin the fish, so I stopped fishing. That also is why I did not like to eat fish; after cleaning and smelling them so many times I finally lost my appetite for them.

I loved the river and the woods behind the fort. As I grew older, I climbed trees and marveled at how far I could see while sitting high on their branches. One day while I was almost at the top of a tree looking at nothing in particular, I spotted a giant bird that flew down from another tree to the ground. I had never seen such a large bird. It had long, skinny legs and a big fat body. It also had a funny noodle hanging down from its face. The big bird especially liked eating the tiny red berries off some bushes.

When I got home that day, I first asked Elodio what it was. He did not know. So we asked our mother what kind of bird it was and asked if we could eat it. She said it was a *guajolote* (turkey), a bird found in Mexico but not in Spain. I found out later that was true: turkeys only existed in the Americas. The same was true of corn. My mother said it was the golden grain of the Americas, first cultivated by the Native Americans. She told us that there were three grains that had made the people of the world have food over the centuries: Corn from the Americas, rice from Asia and wheat from Europe. I heard those words but had no idea what the Americas or Asia or Europe were, much less the word "centuries." My father brought home a map of the world with countries and continents marked with names and I learned where those places were. I also asked him what "a century" meant. "One hundred years," he replied.

It took some time before I was able to kill and bring home a turkey. When mother saw the big bird, she was very happy with me. She ordered me to bring water from the river and to start a fire. She boiled the water and poured it over the bird to remove its feathers. That didn't get them all off, and we had to pluck the hundreds of little, dark pin feathers by hand. I kept some big tail feathers for myself.

After all the feathers were plucked, my mother then cut the turkey open and removed what she called the gizzard. It was just a body part when she showed it to me. She then cut it open and pulled out what mush there was inside the gizzard. She told me never to touch or eat the red specks she was taking out of the turkey's gizzard. Out of nowhere, Elodio asked why. She let Elodio lick her fingers that had touched the tiny red specks and parts of the red balls. He suddenly screamed and asked for water, water, water. His tongue was burning. I was terrified.

I will never forget the look on Elodio's face. He was jumping around the kitchen in pain. The tiny red balls were a hot pepper called *piquín*. I had seen the tiny red balls on bushes, but I never touched them. After that, I tried not to go near them. I only hid near the bushes to see if I could catch a turkey eating them.

I learned never to ask her why, when she was cleaning an animal, or put my tongue on mother's finger, even if she asked me to. I would ask her often to let me lick the bowl or her fingers when she was mixing batter to make a chocolate cake or a sugar tortilla, anything sweet. She did not let me put my fingers into her mix because my hands were forever dirty. So were Elodio's hands.

I would lay on the riverbank, sometimes with Elodio, for hours, watching fish swimming, listening to the sounds of animals and the flowing river. I always wondered where all that water in the river came from. I wondered more about where it went. That place where it went had to be a noticeably big body of water. When I asked Elodio about all of this, he did not seem to know the answers.

One day, I found a small turtle and brought it home, only to be scolded. I was made to go back and return it to the place where I had found it. I was told only to bring home big turtles that mother could cook for a fine dinner. She had also said that we were to be careful not to let the turtle bite us. Turtles have strong jaws that can cut off fingers with one bite. Her warning scared me. I stayed away from all turtles. One day, I found a turtle shell with no bones or anything inside. The pattern on the shell on one side was very intricate, almost like a spider web. The underside was not as colorful, nor did it have a good design; it was basically a hard, whitish shell. I liked the hollow sound a turtle shell made when I hit it with a stick or rock. With two sticks, it almost sounded like the drumbeat the soldiers marched to in the fort. I took it home to show my mother and Elodio. I was allowed to keep it, but not bang on it inside the house, especially when my father was taking his siesta. When Elodio got his own turtle shell, we still could not play with them like drums inside the house. My mother would yell at us, "Stop! Get out!"

I also wanted to know why there were so many insects and different kinds of spiders in the world. Nobody I asked knew the answer to this question either. Spending so much time in the woods and by the river, the plants, insects, fish and other animals were like my personal property. They were mine to discover and study. The spiders I found in the woods made me very curious. When I first ran into a spider web, I could not get the webs off my face. I had not seen it, just walked right into it. I was so scared the spider was still on the web and would bite me. After that, I learned to watch for spider webs and avoided running into them. I studied the spider webs I saw and became impressed with how intricate and strong the webs were. They did not break easily when I poked or pushed at them. I also watched how quickly the spider could weave a web. I would tear up a spider web one day and by the next day, it was up again.

My first big spider scare was with a tarantula, which are large spiders with long, hairy legs. They lived near our home by the fort, along with scorpions, which I was always on the lookout for as well. Elodio had gotten stung on his hand once by a scorpion. His hand swelled up really big. Mother made me get some dirt and spider webs to help cure him. She mixed the mud with boiled water and some medicinal leaves, then put the concoction on the sting. The spider webs helped hold the mud in place on his hand. He was really sick for two days.

When I was little, my family always moved. My father, being a soldier, did what soldiers must do when ordered to go fight or defend another place. One day, my brother and I found an old uniform in the family chest. The uniform was different from what father was wearing at that time. I was too young, about three years of age, to know the difference. Elodio did ask Mother about the different uniforms and patches. She told us that Father first had been a soldier for Spain. Then, just a few years before I was born, he became a soldier for Mexico. Elodio and I could not understand why our father would change armies and how that happened. Both father and mother tried to explain to us the meanings of words, such as "sovereignty," "independence" and "rebellion," but Miguel Elodio and I were too young to understand.

We could have learned about that in school, but there were no schools where we were living. We did get lessons, however, from the priests that came to the fort to teach natives about the Bible. Even if there had been a school, I was still too young for it. What I learned came from my mother, mostly. When father was home, he would try to answer my questions, but he was often too tired to talk.

CHAPTER 7

The Battles that Changed Our Lives

According to what father told us, General Santa Anna crossed the Rio Grande toward San Antonio early in January of 1836. By February 23, he and his Army were in San Antonio. General Santa Anna was a good Catholic and he did not believe his troops should shoot toward or inside of the church of San Antonio de Valero Mission, later called The Alamo, a church. After several days, when soldiers were shooting at his men from behind the walls of the church, he ordered his soldiers to storm the church and kill all the rebels hiding inside. Supposedly, Santa Anna was so infuriated at what was mainly an Anglo-Texan rebellion that he ordered his soldiers after this to march south to Goliad. He wanted them to take back the fort and *pueblo*. They were successful.

Santa Anna had so many more soldiers than General James Walker Fannin. Grandfather supposedly had said that General Santa Anna ordered Fannin and his 341 soldiers killed right then and there. Santa Anna then marched off toward San Jacinto to find the last of the Texan rebels. The general left orders for my father to guard the other Anglo prisoners he had at our fort. During those long days, Miguel Zaragoza and all the other Mexican soldiers left at the fort waited for new orders from their commanding officers. No orders ever came. We later found out, that Santa Anna's army was defeated by Sam Houston's at the Battle of San Jacinto.

That was why we had to leave the fort and head for Matamoros, south of Goliad by the Rio Grande and on the coast. It was an ordeal traveling by ox- and mule-pulled carts. Not only did we have to leave the fort and our home behind, but were now going to a strange place in a cart crowded with our belongings. Everybody was in a cart, a long train of them. It took many, many days to get to Matamoros; the cart train had to cross many rivers. The trip was the most boring thing I had ever done. I kept asking everyone why we had to move, but never received a good answer. I think most people were as confused and scared as I was.

The biggest problem was that we could not get off the cart and go play with each other or other kids. Everyone just sat on the back edge of the cart looking at the road. It seemed to inexplicably move away from us. On some days, sitting back was unbearable because of the heat. The dust was kicked up by mules, horses, donkeys, oxen and the creaking wheels of wooden carts. Some days were so thick we could not see the cart behind ours. In order to breathe, we had to put handkerchiefs over our noses and mouths to keep the dust from clogging our lungs. I remember the little children cried constantly.

Hunger was another big problem. No family could stop a cart and say, "We are going to cook a meal and rest." Nobody cooked until the entire train of carts stopped for the night. Most days we ate only once a day, tortillas *and frijoles*, with left-over tortillas and frijoles for snacks. Sometimes Mamá would pass out strips of *carne seca*, beef jerky.

One day, around noon, the road ended at what looked like a shallow river. It was just a muddy place near the Mediterráneo Americano (the American Mediterranean Sea), which later was named Golfo de México (Gulf of Mexico). The big question on everyone's mind, not just mine, became how to cross the muddy marsh by the river with the heavy carts, mules, donkeys, oxen and horses.

As if planned, my father arrived that day with many other soldiers on horses and with mules. They cut trees and branches to make a bridge over the muddy marsh. Then, the soldiers crossed on horseback to the dry side of the marsh together with the mules, oxen and horses that had been pulling the carts. The people mounted these animals carrying what they could until they got to the dry side. With ropes tied to these animals and back to the carts, the soldiers pulled each cart across, one by one. After all the carts were on dry land, everyone loaded their things back onto the carts, hooked up their animals and started on the road again. For a few days, the soldiers rode alongside their families and told stories of the war and battles in Goliad and other parts of Texas. The stories were devastating to hear.

My mother was horrified to learn from father, who had been back to Goliad, that the Anglo rebel, General James Walker Fannin, had attacked the fort. Fannin ultimately took over when the Mexican soldiers were ordered to leave the fort. The Mexican soldiers were told to wait for further orders across the Rio Grande. Those orders never came. They let Fannin take over Goliad without putting up much of a fight. Fannin renamed it Fort Defiance and removed the Mexican flag, replacing it with his own rebel flag.

After a few days all the soldiers, including my father, disappeared again. Just as before, they returned to direct where to cross the next river, the Nueces, just outside of Corpus Christi, Latin for, "Body of Christ." Although the cart families did not go into town, we were told it was not much of a settlement, smaller than Goliad. The soldiers who had disappeared a few days earlier apparently had gone ahead to build what is called a *chalán*, a river boat ferry of split logs made into wood planks and fitted together into a big floor. Ropes were tied to both ends to pull it across the river with ease as it floated. When the cart families got to that point in the river, they saw how it was going to work. One cart, two at the most, would be put on the ferry and then pulled across by soldiers on the other side. The animals would also be pulled across in groups, but some of them could swim across on their own. Once across the river, the carts were taken off the *chalán*, and everything got pulled back for the next carts to cross and so on. In a matter of a few hours, everyone had crossed.

From there, we continued in dusty travel down to the Rio Grande and Matamoros. The only good thing about this was that my father once again arrived with other soldiers and with Anglo prisoners. He would eat and sleep with us every night and told us more stories. They still were not good stories. Papá told us many things about what was happening in Goliad and Texas that were horrifying to us: Mexicans from all over were being violently pushed out of their own country.

CHAPTER 8
Our Family Is No Longer Texan

Finally, our father was able to sit the whole family down and explain what was happening, why we had to leave Goliad. General Santa Anna was defeated at the Battle of San Jacinto and lost the war with the rebel Texans. Santa Anna was forced to sign a document giving up Texas. On May 14, 1836, as president of Mexico and a prisoner of war, he signed a document called the Treaty of Velasco, declaring that Texas was no longer a part of Mexico. That's when Texas became its own country, the Republic of Texas.

Father explained that another general, Vicente Filisola, had ordered all remaining Mexican soldiers to retreat from Texas. That was why Father was there helping escort military families south. The Nueces River by Corpus Christi became the border between the Republic of Texas and the Republic of Mexico. The closest Mexican army garrison was south of Cor-

pus Christi in Matamoros, and that's where we were
headed.

*After hearing all this news, we could not sleep that
night. How do you lose a country? How could Santa
Anna as a prisoner have authority to sign a treaty and
order Mexican soldiers to retreat? Did he sign
because he was afraid to die at the hands of the Anglos? Would the rest of Mexico be lost also? Where
would we go?*

I was only seven years old when these last battles
over Texas took place, but I wanted to know all about
them. Mother became impatient with me because of
my many questions. She was amazed that I kept asking these difficult questions at my age. Elodio, on the
other hand, acted calm and patient. He waited to be
told and seldom asked for much.

When our families got to the Rio Grande, a *chalán*
was already in place. People crossing in either direction had to pay. My father, who was in charge of the
soldiers, told the man who seemed to be in charge not
to expect any money from anyone. He had to take
everyone across—including the animals. My father
was adamant and forceful in his orders to the man with
the ferry. I realized that soldiers command respect but
also fear, so it is best to do what they say. All of the
animals got to ride the *chalán* this time; it was bigger.

The entire Zaragoza family made it safely to
Matamoros. My whole family marveled at Mata-

moros. I had never been to such a large city. Once the train of carts had crossed the river, the carts rolled down the main street, named Santa Cruz, the only way in and out of Matamoros from Texas. To the east heaved the big body of water now called the Gulf of Mexico, and to the west was the road to Reynosa. Along the coastline stretched another road going to Tampico and Veracruz, placing us closer than we'd ever been to bustling population centers.

While we were living in Matamoros, my father seemed very angry on most days. He expressed his disappointment at the President and General Antonio López de Santa Anna. He swore to never be a soldier and fight for anyone like him ever again. Nevertheless, my father received a promotion to the rank of lieutenant and more soldiers were placed under his command. Part of his responsibility was to guard all the Anglo prisoners held in Matamoros. I wanted to know what they were going to do with those prisoners. I also asked both of my parents why the city had such a horrible name: Kill the Moors, *mata moros*. I did not know who the Moors were. What had they done to want Mexican people to kill them? Mother promised to tell me when I was older all about The Crusades, and the efforts to take back the Christian-Spanish Peninsula from Islamic invaders. I had never heard the word "Islamic" before either. I did not know what it meant.

CHAPTER 9
Life in Matamoros

Elodio and I finally were able to enroll in a school in Matamoros; our sisters were still too young. Our mother had done the best she could with teaching all of us at home, but it was really difficult without books and for her to find time to devote to our education. She also found out from my teachers why I could not see the letters on a page or the chalk board unless I got up close. I had to put books up to my face to see the letters and numbers. I could not just walk up and stand in front of the chalk board during class every time I could not see what the teacher had written. I needed glasses. The teachers told mother where to get them.

But glasses were expensive, even though we now had more money because of father's new rank, which paid a good salary. Not many doctors in Matamoros knew how to order the right kind of glasses to be made for me, or anybody else needing glasses. But

Mamá finally the found the ones the teachers recommended, and I eventually got my glasses. That day the world opened up for me. I could see far and I could see close up. I quickly learned to read and write much better, and found answers in books to so many questions. Once I had glasses, I did very well in school.

The move to Matamoros was turning out to be a good thing because we went to school with other children our ages and we could play with them. This big town also had many kinds of stores. There was an open market with food for sale, a plaza and a big church with bells. This church was not inside a fort like the one back home in Goliad. This church actually was a Cathedral, big and spacious. More than 200 people could fit inside for Mass and there was room for more all along the side chapels. Behind the Cathedral stood the main plaza on Morelos Street. These two places took up the blocks between 4th and 5th streets. There was another plaza next to the open market, off Manuel García Street and 6th. There were always lots of people, especially at the 6th Street market and the plaza.

On Sundays, father and mother would take us to the Cathedral for Mass. After that, the family would go to the bakery. Father bought us freshly made sweet breads of various kinds—*empanadas* of all sorts, *pan de polvo, pan de huevo, campechanas, repostería* and *semitas*—to take home and eat with hot chocolate. Mother and father stuck to their coffee.

I loved going to the market with my mother, not just to help carry the things she bought, but also to see the plucked chickens and other meats hanging on hooks. There were smelly fish on tables and piles of fruits and vegetables I had never seen before. The smells of the market: coffee, vanilla bean and cinnamon ground and boiled into drinks. They are forever etched in my memory. I tasted some of those drinks at the market place for the first time. We could not get those items in Goliad nor grow them in our garden. I remember my father would occasionally return home with bags of cinnamon and vanilla, sometimes hard chocolate. In Matamoros, those items were everywhere every day. Readily available.

Now that we were going to school, we needed real shoes, not the *chanclas*, or sandals, we wore when we weren't going barefooted. To go to church, even the little girls needed shoes. Mother told me stories about my first shoes that made me laugh.

For some reason, Elodio quickly mastered the tying of shoelaces. It took me much more effort. No matter how hard I tried, I just could not make the loops or bow the loops to tie them together. I would get so mad, often crying out in frustration. On more than one occasion I just tucked the shoelaces into my shoes, and within a few steps the shoelaces would be flying around my feet. My father yelled at me to tie my laces before I tripped over them. Elodio had to help me time and again to tie them. I felt humiliated! Perhaps it was my little fingers or that I tried too hard to make it right and got anxious.

I finally got the hang of it and got used to receiving new shoes every year. Well, not so new. The new shoes were more for Elodio's benefit because his feet were growing. I would get the hand-me-down shoes. Depending on how fast his feet grew, sometimes I got relatively new shoes out of it.

I also got hand-me-down shirts, pants, belts, hats and socks from Elodio. I hated those years of my life because I was smaller and not as tall as Elodio, even into my teen years. I always looked like I was wearing baggy pants and shirts. Nothing ever fit me right.

Matamoros had lots of businesses. Banks, barber-shops, *cantinas*, hotels and restaurants. I was amazed at the variety of work in that city. I discovered what newspapers were and that they were sold on just about every street corner. There were bookstores with more books than I had ever seen. I would read my father's newspaper. Reading gave me a chance to ask more questions. My parents told me about why Mexico had lost Texas. I could never get that question out of my mind.

Reading the history books, I realized that for more than twenty years, the Mexican people divided themselves over the question of what type of government was best for the country. They always divided themselves into two large groups. One group, the conservatives, wanted a monarchy, or at least a strong central government with a military leader in charge. The other group, the liberals, wanted elected representatives chosen from among the people, and they wanted the military under control of an elected president. Antonio López de Santa Anna, who had been a general during the Mexican independence movement, had become the leader of the conservatives. He was in charge of Mexico's government several times during his lifetime. That made my father very angry. My father stayed angry and disappointed for many years until he was transferred to Monterrey, in Nuevo León, Mexico.

This was very good news for the entire family. All of us were now in school, and Monterrey was a really big city, much bigger than Matamoros. My father got promoted to captain and assumed the command of the troops in Monterrey. We, the Zaragoza family, had more money for the necessities of life and medical care than ever before. More importantly, my father and the entire family were far from danger. Mexico, while it had lost Texas, was somewhat at peace again. Everything and everyone was back to normal, no war, and my father was home a lot more. He had other soldier friends and businessmen who would come over to our house to talk, smoke and drink. I learned a lot from listening to those grown men and from my mother, who asked them many interesting questions. It was clear that the Mexican people since independence from Spain in 1821 had struggled with what kind of government to have: a democracy with elected officials like the United States of America or a monarchy with an emperor or king like Spain or England.

Unfortunately, the peace did not last long. Not everyone was content to let history move on. On March 5, 1842, General Rafael Vásquez, on his own, marched his troops across the Nueces River and back into San Antonio. He battled and won control for a few days, but without reinforcements and more ammunition, he had to leave the city and return to Mexico. Half a year later, on September 11, Adrián Woll, another former general, again marched on San Antonio and took it also for a few weeks before returning to Mexico for the same reasons as General Vásquez. The next year, on May 16, 1843, when two ships flying Texas flags entered Mexican waters in the Bay of Campeche, close to the Yucatan Peninsula, two Mexican Navy ships began firing their cannons at them, and the Texan ships returned their fire, until both ran out of cannon balls. It became a standoff. Each side withdrew, and that was the last skirmish until three years later in 1846, when war broke out again. Clearly the Anglos had no intention of resting until they took all of Mexico.

CHAPTER 10

Horses and Guns for the Boys

Given that my father was a soldier, I asked him every year after I had turned seven when Elodio and I were going to learn to ride horses and shoot muskets. We were occasionally—even the girls were—taken on horseback rides, but with my father in the saddle and reins in his hand. Father would not hear of us boys riding his big horse alone.

Father said that when we were older, he would teach us both to ride his horse. He made it clear that he was not buying other horses. In Monterrey, people could not keep the horses at home. They had to be in stables of the military and in private stables. The biggest objection my father had to us riding his horse was our size. We were little men, and the animal was huge. The saddle was another concern because it was custom-made for my father, a full-grown man. We would not fit in the saddle and we would slide around on it. The stirrups were too high for our little legs to reach to climb onto the horse. He let us try and try, only to laugh to his heart's content at our futile leaps to try to put our feet into the stirrup. Father would have to pick us up and place us in the saddle. He would then tell us to try to put our feet in the stirrups from there. There was no way our short legs could reach the stirrups. With those lessons behind us, we knew it would be years before we could begin to ride. The alternative was to ride bareback when father was not looking, but our mother did not let that idea get far.

When Elodio got into his teen years, he finally was able to mount and ride my father's horse. Father also made me wait until my teen years to mount his horse and learn to ride. I remember that when my father retired from military service, the other military leaders gave him his horse, which also was getting up in age. That is when my father began to let us ride his horse.

As teenagers, our father's guns also were passing into our hands. We were becoming men. The words, "bullets" and "rifles," are from my era. The earlier weapons were actually called "muskets." The muskets shot lead balls after being packed with black gun power. The blast of the powder igniting made the lead ball shoot out. The long muskets and pistols all required this black powder to fire and had to be reloaded each time in order to fire again, which took time. The range of a musket was not far, maybe 300 yards. It was a heavy weapon to carry, weighing about 12 lbs., and long, about 4 and one-half feet. Adding the seventeen-inch bayonet to the end, the musket was longer than Elodio was tall. It towered over me.

CHAPTER 11
What to Become

When I turned fifteen years old, my parents enrolled me in the Escuela Preparatoria, a combined high school and community college of the time. Elodio had gone there before me. Our younger sisters also went to that school. The Preparatoria was the last school most students attended unless they had plans of going to a university. A university education was awfully expensive. All universities were private schools for the rich. Our family simply could not afford a university education for us, and Elodio and I were not really interested in that type of study anyway.

The years in Monterrey were transformational for me. As a young man, it was expected of me to learn a profession or a trade. My mother tried to push me into learning about business or even becoming a priest. My father did not want any of that kind of life or work for me. He wanted me to continue the military tradition. My mother definitely did not want me to become a soldier. She insisted, and my parents enrolled me in the Tridentino Seminario de Monterrey for high school studies; this school steered you into the priesthood.

I hated every day of those years. I had to wake up just before sunrise to be on time for Mass. It was a long walk from home to the church by the school. Once there, I had to kneel and pray at Mass every morning before classes began. I had to kneel and pray again at noon before the meal. What I hated the most was that these prayers were the same prayers every day. It was the most boring, repetitive, memorization of words, said over and over until the words lost their meaning for me.

I also hated the Latin words spoken by the priest and then having to respond in Latin to him. I wanted to know what the priest was saying and what I was saying in response to the priest. Why did I have to learn Latin? Nobody anywhere spoke Latin, only the priests and only during Mass. I remembered asking a priest that question, and of course he answered that it was necessary to become a priest and read the original religious texts. The priest teachers did not teach me Latin until my last year in high school, when it was too late for me to consider the priesthood. On the other hand, I enjoyed the challenge of learning what my other teachers taught; they knew a lot. Also, I wanted to marry someday, have a family, and priests could not do that.

The priests at my school were from a religious order called the Society of Jesus, or Jesuits, for short. They were hard on all students to study and learn. I admired them for being strict and no-nonsense. The Jesuits were very disciplined. They were like me, I realized. I did not like anyone to complain, whine, make excuses, delay, be lazy or quit. For the life of me, I could not figure out how to be so disciplined without becoming a Jesuit priest. I kept telling my parents that I was not going to be a priest. Mamá finally gave up trying to convince me and just asked that I finish high school. I did, and graduated with honors. The Jesuits taught me to enjoy learning. I continued reading more and being orderly about my things and my work. Discipline became the dominant trait in my personality.

After high school, my father was looking for a place for me to go to work. He had a friend, Félix Sepúlveda, who owned two grocery businesses. One was an actual store and the other was a warehouse from which he sold groceries to smaller grocery stores. My first job was in the warehouse unloading wagons with food in boxes and burlap bags, fruits in boxes and big pieces of meat that did not stay long in the warehouse. I hated unloading these big pieces of meat or taking them to the Sepúlveda grocery store. They got blood all over my arms, hands and clothes.

In a few short days, I learned to despise the smell of raw meat like I loathed the smell of raw fish. I also had to sweep the warehouse and pick up trash to go burn outside. Burning trash also became a hated job because my clothes, hair and body would smell of smoke until I bathed. I hated having to wear smelly smoky clothes two or more days in a row, but my mother could not wash my clothes every day. After almost half a year, Mr. Sepúlveda moved me from the warehouse to stocking shelves inside the store and putting food items in boxes for later delivery to small stores and individual families. I tried working at both places for a few years, the big warehouse and the big grocery store, but did not like either one.

My parents noticed this and finally agreed that I would not be happy until I became a soldier like my father. I did try to enlist early at age seventeen, but to no avail.

I remember writing down all the quirks I had. My glasses had to be clean. My hair had to be combed exactly right. I walked at a fast pace—perhaps that was not discipline, but having shorter legs than Elodio, I had to learn to keep up. I also learned to look a person in their eyes when speaking to them. This did not sit well with older men. When I was younger and did that, my father would explain to his friends that I could not see well, that it was not out of disrespect or defiance. Why is it that in Mexican culture we have to look down to show respect and deference to older persons? To some people, looking down means you are afraid or hiding something or ashamed. I am not any of those things.

Actually, my father said that so many times about my looking people in the eye that it became my trademark. When I moved up in rank as a soldier, this trademark became a good skill in that I could dominate others just by looking them in the eye. Since I was usually younger than those I commanded and smaller in size, I made up for this with my confident in-your-face kind of look. The higher I rose in rank from colonel to general, the older my subordinate officers became. Had it not been for my reputation as a tough fighting man with many battle victories under my belt, and my stern look, I could not have won the respect of those senior men.

My voice was another story. It was not deep or baritone, like Elodio's and Papá's. It was more like a mellow, soothing voice. My voice made others feel comfortable and relaxed. I could project it. I could be heard above others. This ability came in very handy. When I was in a battle and the din made listening to orders very difficult, I still managed to be heard. When officer Zaragoza was barking orders, everyone could hear him—and they saw him right there next to them fighting. All my soldiers and officers told me that my best quality and leadership skill was being next to my men and women, fighting alongside them. Sometimes on my horse, other times on the ground, but always on the front lines, not hiding in the back like most other officers.

Perhaps it had less to do with being brave or a skilled leader as with being smart. On my horse, I was a bigger and easier target. On the ground, I was just another foot soldier, not as easy to hit. Plus, I was agile. I could really move with lightning speed. Maybe having short legs was not so bad after all.

I was not the best at everything a soldier must do, but I did learn to cope and deal with what shortcomings I had. Besides, I always tried hard until I mastered something, like with the sling or tying my shoelaces. My need for glasses to see was most important and a serious deficiency for a soldier, especially a commanding officer. More than once I lost my glasses but learned to carry a spare set for just those emergencies.

CHAPTER 12
Glasses and Girls

With glasses, however, came new responsibilities. I had to keep them clean, which was not easy because of the heat that dominates most of Mexico, causing its people to perspire. Water runs down from your head into your eyes and onto your glasses. And you cannot swipe the sweat off easily if you wear glasses. Then, too, dirt is floating around from dusty streets and horses going by, and before you know it you cannot see clearly through the lenses. I was always carrying little cuts of fabric to wipe my glasses clean. Later, when my parents noticed this, they bought me handkerchiefs.

The other responsibility was keeping the glasses from breaking, bending or just getting lost. I could not wrestle with Elodio or any other boy unless I took them off, and then I could not see well. I had to remember where I put them at night when I went to sleep. It could not be under my pillow or under the bed; most times I slept on the ground in my bedroll or on a tiny cot. Later, as a soldier, my problem was compounded in that there was no mother around to supply me regularly with pieces of cloth, handkerchiefs or even clean water to rinse cloths and lenses. The water that we had available was dirty. Drinking it could even give you typhoid disease. If you used it to clean, more grime stuck to the glasses. The problem grew worse.

When I grew older, I ordered frames that had longer stems that curled behind my ears to keep the glasses in place. Once, when I galloped at full speed on my horse, my glasses fell off, even with those longer stems. It took me about an hour to retrace my path, and I spent another hour crawling on all fours looking for them. I didn't find my glasses. From then on, I bought two pairs at a time, just in case I lost or broke one pair.

I lost another pair during a fall to the ground. A cannonball blast threw me off my feet. I went one way, my glasses another. In the middle of a battle, I did not even think of looking for them. I just tried to get away from danger as fast as I could. I could not see anybody or anything, just blurred shapes. Fortunately, I crawled in the right direction and fellow soldiers grabbed my arms and led me to safety. That was the day I began tying the stems of my glasses behind my head with a piece of string. Sometimes they would ride up my nose or get twisted to the side of my face, but they never flew off again.

When I was little, my mother suspected that not only was I near-sighted, but also color-blind. When we walked in the market I could not distinguish colors. She would scold me time and again for pulling vegetables out of the garden thinking they were weeds and also bringing weeds into the house thinking they were vegetables. When I was a teenager strolling around the plaza with Mamá and Elodio on Sundays, I had a hard time identifying the colors of dresses or ribbons girls wore. While Elodio would comment or ask about the girl in the blue dress or the one with the green ribbon in her hair or the one with the pink sweater, I felt lost. I would ask if they were talking about the tall or short, chubby or skinny, short- or long-haired girl.

When I was little, the clothes I wore did not matter much because they were the hand-me-downs from my brother. For years, he had to tell me what color shirt to wear with which pants. I memorized those suggestions. But when I began to look at girls at the plaza, colors were a challenge. There are no glasses to cure color blindness. My mother was not sure what my problem was, because when she would ask me to color something red or brown or blue, I always found the correct color pencil in the box. Well, I knew how to read! The colored pencils had the name of the color printed on each one. Perhaps, I also had learned to associate the shades of colors I saw with those same colors the pencils said they were. If I heard people say something was red, blue or whatever color, I remembered. I was smart and a quick learner. I also was particularly good at adapting to new circumstances. Sometimes I was puzzled for a brief time, but I always figured things out.

CHAPTER 13

The United States Declares War against Mexico

Shortly after I finished high school, my father was transferred to Zacatecas, in March 1846. The following month, he was summoned back to Monterrey because the United States had invaded Mexico. Once again Santa Anna, whom my father loathed, returned as the commander of all Mexican troops. Always the conniving, treacherous, ambitious egomaniac, Santa Anna turned against Mexico's President Valentín Gómez Farías within days and proclaimed himself president of Mexico as well as general of all troops.

Once in power and unchallenged by others, Santa Anna sent Mexican soldiers to stop the US army from crossing the Nueces River into Mexico. The Mexican troops, however, arrived late and met the US troops at the Rio Grande at Matamoros. All of a sudden, the US government was insisting the Rio Grande was the border, not the Nueces River. This was after the United States had annexed Texas as a state of the Union and had offered to buy New Mexico and California. Mexico rejected President James K. Polk's offer. So, the US president declared war on Mexico, using the pretext that some American soldiers had been killed by Mexican soldiers for trespassing into Mexico. On May 13, 1846, the US Congress followed Polk's lead and officially declared war on Mexico.

Actually, the US army had already crossed into Mexico in March, 1846, and clashed with Mexican troops in the Battles of Palo Alto and the Resaca de la Palma at the Rio Grande on May 8 and 9. All the Mexican troops left Matamoros for Monterrey when they heard the US army was on the march toward them. Sure enough, US General Zachary Taylor's forces arrived and took over the city of Matamoros without even firing a shot. After resting a few days, the US troops then began the long march to Monterrey. The Battle of Monterrey took place from September 21 to 24. The fighting was all around us. Papá had gone to help fight, and we had no idea where he was. Generals Pedro de Ampudia and Tomás Requeña led the Mexican troops defending the city. Together, they had about 7,303 soldiers. General Taylor, on the other hand, had 6,640 men under his command and another 210 Texas Rangers. The US troops reached the outskirts of Monterrey on the morning of September 19. Instead of rushing into the city head on, General Taylor decided to attack from both sides, east and west.

Meanwhile, Santa Anna had ordered the evacuation of soldiers from Monterrey to Saltillo, where he thought the terrain better suited for battle. From Saltillo it would also be a longer distance for the US supply line to be able to support their troops with food, water, ammunition, fresh horses and other supplies.

General Ampudia disobeyed Santa Anna's order and engaged the US troops on both sides of Monterrey. The US forces overran the Mexican defenses on the west side, and the Mexican soldiers then regrouped on the east side, basically surrendering west Monterrey to the invading army. By September 23, the fighting between Mexicans and the invaders became pitched, hand-to-hand combat with bayonets and pistols. The US troops employed mortars, small cannons capable of launching balls great distances, which the Mexicans did not have. These mortars destroyed and killed many Mexican soldiers and civilians alike. General Ampudia surrendered on September 24 and was allowed to march away from the city to San Luis Potosí with his wounded soldiers and their personal weapons.

CHAPTER 14

Half of Mexico Becomes Part of the United States

In our beloved city of Monterrey, the US troops and Texas Rangers went on a rampage, killing civilians in cold blood and assaulting women and young girls. We saw this with our own eyes and my mother even read in the *Houston Telegraph and Register* of January 4, 1847, about how extensive the bloodbath was.

My mother and I read and discussed another startling story about the US soldiers who were part of the Saint Patrick Brigade, called the *San Patricios*. They were Irish immigrants to the United States who were forced into the US army before getting citizenship. They were very devout Catholics who were sent as soldiers to fight in Mexico. They decided that they could not kill other Catholics; they did not see the Mexicans as their enemy. What we read next was very surprising: the San Patricios had switched sides and joined the Mexican army. When the US troops took Monterrey, among the first persons they captured and hung were soldiers of the San Patricios. The US army considered them deserters and traitors. Some managed to escape this fate and started Mexican families. Many of the green eyed, red-headed, freckled face Mexicans have such an ancestor in the genealogy.

Further south, the US army marched on the capital, Mexico City. General Winfield Scott's forces approached the city coming in from Puebla. Santa Anna sent General Nicolás Bravo with 1,000 soldiers to form the front line on the southwest, while Santa Anna's 15,000 soldiers faced Scott on the east. But General Scott did not come in from the east; instead, he circled around and attacked the smaller army under Bravo at the Castle of Chapultepec in Mexico City. General Bravo's men were in the hills around the castle, which was a military academy. Fifty young cadets defended it. General Scott sent two divisions of men, one coming in from the south through a grove of trees to the base of the castle while another came from the west. Bravo split his men into two units to defend. Ultimately, it was too little, too late. The US troops lost 130 men, with 703 wounded and 29 missing, while the Mexicans suffered at least 1,000 dead, wounded or captured.

Meanwhile, Santa Anna realized that all was lost; he fled the city with his remaining troops. He escaped by himself through the port of Veracruz, eventually ending up in Jamaica and later Colombia. He had lost six of his generals, all taken as prisoners. General Scott marched into downtown Mexico City to the National Palace, the seat of government, and received the Mexican delegation that officially surrendered. The US flag flew over Mexico City for a few days until the negotiations for a permanent peace took place. The Treaty of Guadalupe Hidalgo that they signed gave the United States what would become the states of California, Nevada, Colorado, New Mexico, Arizona, parts of Utah, Wyoming and Oregon, plus the tiny part of Texas between the Rio Grande and the Nueces River. This strip of land was what gave rise to the US war against Mexico. The treaty was signed on February 2, 1848, and went into effect on July 4, 1848.

Several months later, my father, to everyone's astonishment, rode up on his horse. He said he had escaped harm and had been moving about, evading US troops until he learned the war was over. My mother was beside herself at seeing the love of her life getting off his horse in front of our house. She said he was as skinny as a skeleton, so she fixed him every food he liked for weeks until she could no longer hug him with both arms.

CHAPTER 15
A Birth and a Death

Mother gave birth to her last child in 1845. The child was a surprise, my mother had not expected to have any more children. They named him José María de Jesús Zaragoza Seguín. He was barely six years old when our father died on June 11, 1861. The entire family went into mourning.

My father had not been sick or sickly. One day he just collapsed at the garrison with high fever and terrible headaches. At home, he had bouts of diarrhea. In a matter of three days, he died. The suspected killer was typhoid fever. He had not complained, even when he began showing symptoms. My father was not one to ever complain. Perhaps I learned that from him.

After the burial service his fellow officers presented us with the things he had in his office: medals, plaques, flags, newspaper clippings and weapons. They also gave us his beautiful black stallion, which went to Elodio. The old horse was still big and extraordinarily strong, despite its age. He was a beautiful animal to look at, with long muscular legs and a wide chest. His mane and tail were jet black, almost silky. The horse's name was Macho. I guess my father named him that because he was already grown when he got him. Macho had no problem adapting to Elodio and me. It was as if he knew that now with Papá gone, he was going to be ridden by us. Macho by habit would come up to anyone and put his nose near their upper body to smell them. It was as if he could smell who to trust.

Elodio was big enough now to fit in the saddle and place his feet in the stirrups. So could I. Elodio taught me how to ride, saddle the horse, adjust the stirrups and reins. Elodio did a good job as my teacher. Soon I began to consider buying my own horse. My mother agreed as long as I found a way to also put it in a stable and buy it food. Mr. Sepúlveda from the grocery store said he would help me with the stable and let me feed the horse at his place.

I bought a young mare that was not as big as Macho. I could ride her with more ease. She did not bounce me as much as Macho did when we were at a trot or full gallop. I named her Tencha, which is a nickname for the name Hortensia. Nobody knows where I got that name. I am not telling, either. You can all guess that maybe it was a school friend, or just because I liked the name. Okay. Actually, it was the name of a girl I liked, but she never paid attention to me.

In 1853, when I reached 24 years of age, I enlisted into the Mexican army. They finally accepted me. I sold Tencha to Mr. Sepúlveda and gave the money to my mother, together with the saddle, blankets and bridle. I let the girls know they could have them when they got older, if they decided to ride, and mother agreed. Not many women rode horses that I knew about; they mostly rode in carriages and carts pulled by horses and mules.

After just a few weeks of training, I was sent to San Luis Potosí to join the troops under General and President Antonio López de Santa Anna. Mother was livid that one of her grown sons was now leaving to go fight for the man she and my father so hated. My father was probably turning over in his grave. In April 1853, Santa Anna found his way back to Mexico after a period of exile in Columbia. He became president again and served until 1855. General Antonio López de Santa Anna was president and dictator of Mexico eleven times. He died an old man in Mexico City at the ripe age of 82.

CHAPTER 16

Falling in Love

Once while I was on leave from my garrison, I came to visit my family in Monterrey. I announced that I had been promoted from sergeant to captain, the youngest captain on record. I had a surprise for everyone. I told them that I had seen and met the prettiest girl while on duty. She was the sister of my best friend, Marcelino Padilla, who was serving with me. I was moonstruck with love at first sight.

My intentions were to marry. My family tried to dissuade me, saying I was too young, that I needed to take my time, but I did not listen. I was worried that if I did take my time, someone else would court her and marry her. I was very decisive and pursued what I wanted, regardless of what others had to say about it.

Every day from then on, all I talked about was Rafaela Padilla. I convinced Marcelino that I had good and honorable intentions. He gave his approval. Next, I asked my mother for advice on how to approach Rafaela's mother about permission to court her. Mamá told me to go talk to her father, but Rafaela did not have a father. He had died when she was young. Then, she suggested I go talk to my former employer, Mr. Sepúlveda about what to do. Graciously, Mr. Sepúlveda accepted the role of *padrino,* a type of godfather, and he went with me to talk to Mrs. Padilla de la Garza. When we were at the Padilla residence, Mr. Sepúlveda asked Mrs. Padilla's permission for me to court Rafaela. Marcelino had assured the mother that I was a good man, and as a fellow soldier he could personally attest to my character. Mrs. Padilla agreed to let me visit her daughter from time to time, always at their home. After that, I, Capitan Ignacio Zaragoza, the future son-in-law, walked with her from the house to the plaza. I was even allowed to go to church with her and her mother on Sundays.

My own mother complained, saying it was just like when I left home for the garrison. She never got to see me anymore. Whenever I did leave the garrison, I went straight to the Padilla residence. I did not even stop by our house to say I was in town. My family complained about this regularly.

My girlfriend, Rafaela Padilla de la Garza, did not like that I was a soldier. Not even that I was an officer. She wanted me to marry her and stay in Monterrey, not only come home from wherever I was stationed. Rafaela's mother told her that if she went ahead and married me, to expect long absences because I was a soldier. Soldiers do not get to do what they want. They do what they are ordered to do. They are married to the military first and foremost.

While I was courting Rafaela, my commanding colonel, Santiago Vidaurri, ordered me to Ciudad Victoria where we were going to engage Santa Anna's soldiers. Vidaurri was opposing the return of Santa Anna, who once again planned to head the Mexican government and promote his conservative agenda. Santa Anna had already lost Texas and then half of Mexico in 1848. He was not to be trusted again to lead the nation. At this point, all the Zaragozas and Colonel Vidaurri were on the side of the liberals opposing Santa Anna. I fought Santa Anna's soldiers in the Battle of Saltillo on July 23, 1855. Santiago Vidaurri gave me the same rank as his: colonel, because of that victory. It was between battles against Santa Anna and other conservatives that I came home to visit Rafaela and my family. These visits were rare, but she knew full well what her life with me would be like as the wife of a soldier. The horseback ride between my garrison and Monterrey was very long. I could not be late coming back to the military base.

During one of those trips home, I took Rafaela to a dance and asked her to marry me. She readily agreed but demanded I follow the Mexican custom and protocol of asking her mother for her hand in marriage.

Again, I had to ask Mr. Sepúlveda to go with me to the Padilla Residence. Once agreed upon, we set the date of January 21, 1857.

Rafaela Padilla became my wife and the future mother of my children.

CHAPTER 17
General Ignacio Zaragoza Seguín

What Mrs. Padilla had foreseen came true. I could not go home to marry Rafaela in January, as agreed. I was dispatched, instead, to San Luis Potosí to put down a local rebellion led by a former colonel. General Vidaurri felt this small rebellion threatened the territories under his command. He sent me, despite my wedding plans. Miguel Elodio, my brother, had to stand in for me at the marriage ceremony, as if he were me.

The ceremony was a disgrace and humiliating for Rafaela. The priest, Darío de Jesús Suárez, mistakenly kept asking if she was willing to take Elodio as her husband, only to be corrected twice on the name. By the time the wedding vows were finally said correctly, Rafaela was in tears. This absence during critical moments in life, such as this one, was the way Rafaela's and my life together developed. I think she resented the military life we led because I was gone so much and she often made comments such as: "You were not even at our wedding."

I was a particularly good soldier and moved up in rank after winning many battles. I was always fighting, first for Santa Anna, then for Benito Juárez when he was trying to make changes in the government. More importantly, the French emperor, Napoleon III was bent on collecting monies due Frenchmen for services and goods rendered in past years. Because one of the debts alleged was over some baked goods, this era was named the Pastry Wars.

Benito Juárez had been governor of his state of Oaxaca and headed the Mexican Supreme Court. In 1853, when the conservative faction took over the government, it forced him into exile in New Orleans. Elodio also left home, traveling toward Texas to fight for Benito Juárez against Santa Anna. My mother's heart broke and remained broken. She never heard from Elodio again.

As a colonel, I led troops into several bloody, decisive battles at Siliao and Guadalajara. During those years, I would visit my wife when I could, which was not often enough for Rafaela. We were starting a family and she wanted me home.

In 1855, it became safe enough for Benito Juárez to return to Mexico from New Orleans. He began organizing his supporters, determined to become president of Mexico. In 1857, Mexico was still caught in the grips of a civil war between liberals and conservatives. I fought for the liberal party's army of the north under the command of General Santiago Vidaurri. During the battle of Siliao, many of our commanding officers were killed. I was promoted to general under the command of General Santos Delgado, becoming the youngest general in all of Mexico.

During the next few years, I was involved in one battle after another, trying to defeat once and for all the conservative forces that threatened to control all of Mexico. On October 31, 1860, I marched on Guadalajara. After this battle, the last holdout of conservatives was in Mexico City working with Interim President José Pavón. In early January 1861, I prepared to defeat the conservatives and occupy Mexico City. Once I had my plan worked out, I wasted no time in implementing a surprise attack on Pavón's troops on several fronts. In one last battle at San Miguelito on the outskirts of Mexico City, my troops prevailed over the conservatives. My commanding general, Jesús Gonzales Ortega, asked me to go to Veracruz to escort President Benito Juárez back to Mexico City. Next, they asked to get a peace agreement written up and signed by the conservatives. At great risk to myself and my soldiers, I prepared an agreement favorable to us. With only an escort, I marched into the enemy camp and worked out the peace deal. The conservatives surrendered the capital city on Christmas Day, December 25, 1861.

A couple of weeks later, on January 7, 1862, Benito Juárez rode into Mexico City with his Liberal Army and assumed the presidency.

CHAPTER 18
The French Invasion

In 1861, Spain, England and France had plans to invade Mexico. They claimed Mexico owed them money and had not paid. These three countries had met in October 1861, in London, and signed a pact, the London Convention, to jointly collect their debt from Mexico. France said it was owed $2 million dollars, Spain said it was owed $9.5 million and England claimed the most debt, $70 million. The United States of America as early as 1820 had said no European country could come and start trouble in any part of the Americas. It was called the Monroe Doctrine after its author, President James Monroe. Even if the United States wanted to help, it could not because of the Civil War, the North against the South. Mexico owed the United States money also, about $9 million dollars. These "debts" did not represent money loaned to the Mexican government, but to some of its citizens and even generals, including Santa Anna.

The French also claimed money damages suffered by their nationals while doing business or owning property in Mexico that was confiscated by someone or another during the battles between liberals and conservatives.

In December 1861, Spanish soldiers landed in Veracruz under the command of General Octaviano Prim. They had come to recover monies owed them by their collecting duties paid by ships coming into the harbor with goods for Mexico. Napoleon Bonaparte III was the new ruler in France and almost all of Europe. He also wanted to conquer Mexico and was using the debt issue as his pretext for sending troops. On January 8, 1862, the French landed at Veracruz. Together, the Spanish and English decided not to fight one another over Mexico and instead let the French go at it alone.

President Benito Juárez, grateful for my military actions that resulted in his return to governance, invited me to become his Minister of the Army and Navy. I accepted and, for the first time in a long time, I was working in an office in Mexico City and not fighting. Rafaela was ecstatic, happy at the announcement, and our family took the next train from Monterrey to Mexico City. I met them at the train station. We were all incredibly happy that I was going to be home with my wife and babies. This was to be a first for me, having not been with my wife or children who did not even know me, up to now. After we got somewhat used to each other and enjoyed many happy moments, especially home cooked meals and affection from my wife and eventually children, we added another member to the family. My mother, María de Jesús, eventually moved in with us as well; she was also laboring with being alone without a family since my father died. This happy extended family life, however, did not last long.

Four days after President Juárez learned the Spanish soldiers had landed at Veracruz, he asked me to leave my position as minister and serve as the general in charge of all the military and navy to defend Mexico. I knew immediately that was a mission headed for disaster. The French army was supposed to be the best in the world. They had many, many trained soldiers. They had experienced officers. They had better weapons and numerous cannons. They had many horses and enough supplies to keep their soldiers fed and happy.

I was an avid reader of history books and knew how to read maps for rivers, mountains, valleys, hills, passes, canyons and deserts. I knew from those books where the French would have to travel to get to Mexico City. The French would inevitably come through Puebla to get to our capital. Before leaving for Puebla, at the Ministry of the Army and Navy I studied and learned how others had conquered Mexico. I found that in 1519 Hernán Cortés had landed at Veracruz with 500 men. He had to go up the mountains into Orizaba, down the pass to the Valley of Mexico and to Puebla to reach Mexico City from there. This was a distance of 400 miles. In 1846, when the United States of America went to war against Mexico, General Winfield Scott also landed his 10,000 men in Veracruz on March 9, 1847, and marched over Orizaba and down into Puebla before taking Mexico City on September 14 that year.

So, I knew from the books and the maps that the French would have to come by that same route into Puebla to get to Mexico City.

Upon arrival on the outskirts of Puebla, I saw the massive forts at the edge of town. The forts sat across from each other on a hill with the road leading into Puebla between them. I decided that taking the high ground would increase my advantage. At my last major battle for Benito Juárez earlier in September, I had defended the hills at San Miguelito outside of Mexico City. I took the high ground. That's how I won. I had learned then the advantage of shooting down into the enemy, especially when doing the shooting from trenches. I learned that cannons could shoot farther when pointed downhill. The same was not true for French cannons shooting at my soldiers uphill. I realized that the French cannons used explosive cannonballs, something that the Mexican army had only in short supply, I ordered more, and some had already been delivered.

The first thing I did was order my soldiers and volunteers to dig trenches between two big forts, Loreto and Guadalupe, at the edge of Puebla. That way, to enter Puebla the French would have to over-run my men firing at them from the trenches. My other men would fire from the forts. I also knew that it rained a lot almost every Spring afternoon in the Valley of Mexico. While in Mexico City, my family and I had been caught in that predictable afternoon rain in the city many times. I learned from that experience while walking with the kids and Rafaela in the downtown park, La Alameda, that the clouds coming in from the Gulf of Mexico to the east had to drop all their moisture as they made their way over the mountains surrounding Mexico City. The question for me became: When would it begin to rain in Puebla, for how long and how much?

I ordered my officers to make sure all soldiers, volunteers and *soldaderas* (our women fighters), gathered rocks to place in front of the trenches they were digging. Those who had weapons had to make sure to keep their powder and lead balls dry. They would have to make pouches to put into more pouches for the power and the lead balls to stay dry. They had to dig sloped trenches deep enough to not be seen when they had to reload their long muskets. They had to be able to stand up straight at the front end of the slope and still not be seen. And they had to steady their muskets on a solid surface like the rocks I requested, not mud, to shoot straight and not waste lead by missing their targets.

I instructed my officers to tell the soldiers with muskets to wait for the French soldiers to try to climb up the hill and only shoot at those who got really close to them. The French muskets could reach us better than our Mexican muskets could reach the French soldiers, even as they struggled to climb that muddy slope. "Wait for the sure shot," I would say. It became my mantra.

The second thing I drilled into my officers was to pass on to the soldiers and *soldaderas* that it was going to rain. I promised them it would. Our troops listened to me and my officers; they trusted us. They believed in me. My troops were finally ready. We waited for the French and for the rain.

I knew the French soldiers were superior to our own troops. I knew that I did not have the number of weapons or canons the French did. I also knew many of my troops were not trained as soldiers; they were volunteers. The best volunteers were the *soldaderas,* who traveled with the male soldiers. All of them had a fighting spirit.

Most of the women did not shoot muskets, they were not soldiers, but some did when they picked one up from a dead body. They mostly took care of the wounded soldiers and the horses. They were nurses. They also brought along supplies. When soldiers were fighting no one had time to cook, get a drink of water or take a nap. The *soldaderas* did all the support work for my soldiers. The *soldaderas* liked me because I usually won my battles and did not lose too many men. My soldiers were their men, husbands, boyfriends, brothers, fathers and even grandfathers and sons.

We were badly outnumbered. The few volunteers who were showing up in Puebla had no training or weapons either. When people around Mexico City, Monterrey, Matamoros, San Luis Potosí, Zacatecas and Guadalajara heard I was marching toward Puebla to fight the French and defend Mexico, they marched across Mexico to join our efforts in Puebla. The ranks began to swell with many volunteers. I wished I had more weapons, lead balls and powder because people were showing up with machetes, lances, bows and arrows, axes, hoes and bags of rocks.

I did not have much ammunition, a couple of cannons and mortars, and not enough food for all the soldiers and now the volunteers. We only had what the individual women brought to the battlefield to feed their own men. I did have a couple of experienced officers, Porfirio Díaz and Juan Nepomuceno Cortina, who also was from Matamoros.

Emperor Napoleon Bonaparte III sent his best general, Charles Ferdinand Letrille, Comte Du Lorencez, with 6,000 men to take Mexico. They had plenty of hand-held weapons, cannons, horses and mules, powder kegs, supplies and telescopes to see far enough to scout my troop movements. Du Lorencez was confident that he would destroy me and take Puebla within a day or two. He could already see himself overlooking the Valley of Mexico from the towers of Fort Loreto.

French General Du Lorencez began losing men daily to typhoid fever while on the long 400-mile march to Puebla. His men had been falling ill almost since the moment they disembarked in Veracruz. Typhoid would kill a person with high fever and dehydration. It was very deadly. The typhoid infection comes from contact with dirty water, hand contact especially. If dirty water or dirty hands are mixed with human waste, the person is highly likely to get typhoid fever. Many French soldiers died on the road because they did not wash their hands and they drank dirty water.

Sadly, my wife Rafaela and two sons died from typhoid fever before the battle of Puebla. My first-born boy, Ignacio, had died in Monterrey in March 1858. My second son, also named Ignacio with the middle name of Estanislado, died shortly after I was called to duty against the French. My loss weighed heavily on me, especially not being there to console my wife and jointly grieve our losses together before she died.

I was ordered to Puebla three days before Christmas Eve by President Juárez. Little did I know that when I hugged and kissed my wife goodbye, I would never see her again.

I was totally devastated when I received a telegram with the bad news about these deaths in my family. Heartbroken, I nevertheless had to defend my country and could not go home, even to bury her and my son. I managed to put my feelings aside in order to prepare for the battle of my life.

CHAPTER 19
The Battles Begin

The first thing I learned from my spies in Veracruz was that the Spanish and English soldiers had left the port and gone back to their countries. That was wonderful news. Now I only had the French to contend with. The second thing I learned was that the French were going to take the same route Hernán Cortez took in 1519. Of course the French would; there was no other way to get to Puebla unless a more circuitous route was taken, requiring more time, more supplies and more exposure to the typhoid virus.

I also developed a second plan, to attack along the 400-mile route. Once the defenses of Puebla were in place, I went with a few soldiers, all cavalry, to pick a fight with the French at Acultzingo near Orizaba. I wanted my men to be able to hit and run quickly, not suffer many casualties. We knew the terrain and the French did not.

At the top of the mountains, anyone wanting to get to Puebla must cross at the only mountain pass, located at the town of Orizaba. I wanted to see how many soldiers the French really had. The French soldiers had better weapons than the Mexicans, but how good were those weapons? The French muskets fired lead balls farther than the Mexican muskets, but how much farther? And I wanted to see with my own eyes how well those French soldiers would hold when they were attacked. I wanted my soldiers upon return to tell all the others what we learned and how successful our hit and run tactics had been. I knew that morale was always a key factor in battle.

Once we learned that the French were on the move, crossing the Mountains at Orizaba, I leapt into action. The hit and run went as planned. I soon realized, however, that I would be in for the fight of my life. The French soldiers and their weapons were too good for my Mexican Army of poorly trained soldiers with old guns and machetes, women and Zacopoaxtlaz Indian volunteers. I did attack the French in Acultzingo just below Orizaba, but quickly pulled back to Puebla, where my big trap lay in wait for their main force. I knew enough now, and so did my men, about French military power. We did not lose a single man.

They lost plenty.

When we got back, I had my soldiers each draw a map with figures to show others that a Mexican soldier shooting at a French soldier had to get about 200 feet from him or about 60 to 70 yards. That was about as far as our black powder would fire our lead balls. Then, once fired, our Mexican soldiers had to reload their muskets with new powder and lead balls. On the other hand, the French soldier could shoot a lead ball into a Mexican soldier from about 200 yards, which is 600 feet! The French soldier could stop and reload without fear that even if the Mexican soldier got closer, he still had time to fire at him again or at another Mexican soldier without fear of any Mexican lead ball hitting him. Those soldiers who had gone to Acultzingo held training classes with not only my other officers but also with our regular foot soldiers and *soldaderas* on how important it was to wait to fire and only fire until they had a sure shot.

Some soldier friends of mine asked later if I knew that cannons could not shoot up a hill. Soldiers could not easily climb a muddy hill without slipping and falling, often getting their weapons muddy and their powder wet. Muskets would not fire with wet powder nor would they shoot muddy balls. I had been in those situations before. Behind the city, I sent my other generals to watch for a surprise attack from the rear, but it never came. The French general ordered his men to march straight up the hill toward the two forts, attacking us head-on.

My men dug into the trenches. The French could not see anyone between the two forts. My soldiers were instructed to shoot the French troops as they climbed the hill, but only when they were in range. From the relative safety of the trenches our soldiers were not made easy targets for the French running toward them, slipping and sliding on that muddy slope. My soldiers rested their muskets on the rocks as planned, to keep them clean of mud, and our black powder remained dry. But we were all praying for rain, knowing this would help us against the French more than anything else.

General Du Lorencez's forces showed up near Puebla just before dawn. They were marching toward the Mexican positions when they suddenly stopped. I never knew why.

The battle of Puebla did not begin until mid-morning on May 5, more commonly known as Cinco de Mayo. With bullets flying and cannons firing in both directions, the rain began to fall around noon. By mid-afternoon, Du Lorencez knew he was losing too many men. The rain was coming down as furiously as we'd hoped.

The Mexican soldiers kept their ammunition dry, but the French were caught by surprise by the rain. Their ammunition became soaked and useless. Their rifles got muddy. Their cannons got stuck or were too heavy to pull up the hill. After losing 726 men, General Du Lorencez ordered a retreat to Orizaba.

We lost only 83 men and 345 wounded. The *soldaderas* were very happy that most of their men were not hurt. I knew how to take care of my soldiers in battle.

For this fight, I knew that I could not defeat the French army head on. My strategy was to hurt the French with casualties, hit and run, delay their forward march by engaging them in prolonged battles, demoralize the French troops and divert them from Mexico City for as long as I could. My generals learned this strategy by heart. They committed to the tactics of delay and diversion, hit and run.

In those days, I kept President Benito Juárez informed of events by telegram. On the afternoon of *Cinco de Mayo*, I reported that we had defeated the French army. They were retreating to Orizaba. That telegram made President Juárez very happy. Since the first attack at Acultzingo, President Juárez wondered if I would be able to defend the nation. He thought the French were too strong when I hit them and then ran back to Puebla. Now with this telegram in hand, he was happy he had chosen me to be his Commander-in-Chief of the Mexican Army and Navy. President Juárez ordered me back to Mexico City immediately to be welcomed as a hero. Of course, I was elated at our victory in this first battle but happier to be going home even if it was to visit the graves of my departed family members. I still had my mother and daughter to love and be with.

Before I left Puebla, I thought it prudent to find out what the French were going to do in the next few days. My spies in Orizaba and Veracruz reported that General Du Lorencez had sent a message to Emperor Napoleon Bonaparte III that he needed more soldiers, lots more. He was going to wait a year before starting another full attack on Mexico City by another route. I interpreted this as the worst was yet to come. This intelligence was most valuable for future military encounters, and that was the only way I could think of having been raised in a military family and serving in my own long military career even though I was only in my 30s.

When I arrived in Mexico City, I was very truthful with President Juárez. I told him no Mexican army would stop the next 30,000 French soldiers coming to invade. When I told President Juárez of the French plans to attack again the next year, he made plans of his own to move his capital north toward the US border. The United States city in Texas named El Paso del Norte, El Paso for short, sits across from what was the temporary Mexican capital from 1862 to 1867.

That Mexican city is now known as Ciudad Juárez, in his honor.

I was given a parade to celebrate my victory. The crowds were huge and loud. During the speech President Benito Juárez gave, he said I was a Mexican hero for saving the nation. I did not think so, this was just a first battle. More importantly, my job as a soldier was to follow orders and do the best in carrying them out. President Juárez proclaimed that from then on, every May 5th would be a Mexican national holiday known as *Cinco de Mayo*. My mother was so proud of me. I was proud of what was left of my family standing next to me, although I doubt if my little daughter Rafaela knew what was going on. She was not even sure who I was, this strange man holding and kissing her so often. She was so beautiful, just like her mother.

I visited briefly with my family at home before I left Mexico City. I had to go back to Puebla and prepare to defend our people once again after the *fiestas* in my honor. Unfortunately, like so many others in Mexico, the Americas, Asia, Africa and Europe at that time, I contracted typhoid fever somewhere between my visit to Mexico City and the return to Puebla. When I arrived in Puebla, I started showing symptoms of the infection for several days: headaches, vomiting, diarrhea, abdominal pain and high fevers. The doctors could not stop the disease. For a week, I suffered high fevers accompanied by bizarre delusions, convulsions and great stomach pains. Finally, the doctors told President Juárez there was nothing more they could do. President Juárez informed my mother of my sickness. I do not know the rest of the story because I became too ill and delusional to understand.

EPILOGUE

General Ignacio Zaragoza's body was taken to Mexico City for burial to rest eternally with his wife and children in the San Fernando cemetery in Mexico City. The only relatives Ignacio Zaragoza had at the time of his early death were his mother, María de Jesús, and daughter, Rafaela. At the time of the burial services in Mexico City, Rafaela was only three years old. She did not know why nearly everyone in her family died. The only relative she had left was her 56-year-old grandmother. No one knew for many years what had happened to her uncle Elodio, Ignacio's older brother after he left for Texas during the US invasion of Mexico in 1846. Rumor had it that he had returned to fight in Puebla with his brother, but Ignacio never saw him or had that story told to his face. He would have looked for him immediately.

The French Army began its march on Mexico City once again in the winter of 1862. It did not meet with much resistance. There was no Ignacio Zaragoza to stop them. Zaragoza's strategic plan to delay and divert the French stayed in place. The Mexican troops did not win another battle against the French, but they did delay and divert them long enough for President Juarez to organize a more formidable resistance movement among his people. However, President Juárez's soldiers were unable to stop the French troops from taking Mexico City, a repeat of the taking of Mexico City by the US troops in 1846, in many ways.

Following the victory, Emperor Napoleon Bonaparte III sent Archduke Ferdinand Maximillian and his spouse, Carlota, to rule Mexico. Once Mexico City was occupied by French troops, Maximillian became the Emperor of Mexico on April 10, 1864. In 1865, the French, seeing little resistance in the capital city, sent most of its troops back to France. When the US Civil War ended, the French occupiers became wary, and Empress Carlota went back to France to ask for more help in fighting the ever increasing Mexican resistance to their rule. President Abraham Lincoln began helping President Juárez with weapons, ammunition and money. The remaining French troops in Mexico did not do a good job of protecting Emperor Maximillian and his wife, Carlota. President Juárez kept fighting small battles over the next three years. He stayed alive by remaining far north in the El Paso del Norte area. Slowly but surely, President Juárez's troops began guerrilla tactics against the French soldiers. Finally,

President Juárez's army was able to capture Emperor Ferdinand Maximillian on May 15, 1867, shortly after winning a battle in Queretaro. Maximillian and his generals were tried and found guilty. They were sentenced to die by firing squad. They were executed on June 19, 1867, and Benito Juárez became the undisputed president of Mexico. As president, one of the first things he did was order that the $500 peso bill have Ignacio Zaragoza's portrait on it. Everyone would forever remember the face and name of the hero of *Cinco de Mayo*.

Some years later, the remains of the Zaragoza family were moved from Mexico City to Puebla, Mexico. A monument was erected at the entrance to the city in homage to this great man and the sacrifices of his family. The Zaragoza monument in Puebla, the site of the *Cinco de Mayo* victory, was finished in 1876.

The enormous monument is still standing to this day, depicting General Ignacio Zaragoza mounted on his horse. He looms large against the Puebla skyline.

❧ ❧ ❧

Today, *Cinco de Mayo* is celebrated in both Mexico and the United States. In Mexico, the Battle of Puebla is recognized as the major battle that stopped the French, although the war itself did not end French rule. In the United States, however, Ignacio Zaragoza is also recognized as a hero because he was born in

Goliad, Texas. Many people in the United States are of Mexican descent; they have lived in the same regions since before the time of Zaragoza, when the land still belonged to Mexico. *Cinco de Mayo* in the United States is a celebration of the contributions that people of Mexican descent have made and continue to make in this country and the world at large.

Ignacio Zaragoza Seguín
Mi versión del Cinco de Mayo

JOSÉ ANGEL GUTIÉRREZ

Traducción al español por
Gabriela Baeza Ventura

PIÑATA BOOKS
ARTE PÚBLICO PRESS
HOUSTON, TEXAS

Ignacio Zaragoza Seguín: Mi versión del Cinco de Mayo ha sido subvencionada en parte por Texas Commission on the Arts y National Endowment for the Arts. Les agradecemos su apoyo.

¡Piñata Books están llenos de sorpresas!

Piñata Books
An imprint of
Arte Público Press
University of Houston
4902 Gulf Fwy, Bldg 19, Rm 100
Houston, Texas 77204-2004

Diseño de la portada de Mora Des!gn Group
Ilustración de la portada de Stephen Marchesi

Library of Congress Control Number: 2021935222

Impreso en los Estados Unidos de América
agosto 2021–octubre 2021
Versa Press, Inc., East Peoria, IL
5 4 3 2 1

Para mis nietas Analee, Lucia y Camryn y mi nieto Maximiliano.

—JAG

Índice

CAPÍTULO 1
¿Quién soy?

Mi nombre completo es Ignacio Zaragoza Seguín. Fui general del ejército mexicano. Mis tropas ganaron la Batalla de Puebla contra los franceses el 5 de mayo de 1862, un día festivo conocido como el "Cinco de mayo". Esta es la historia de cómo me convertí en héroe.

Aprendí mucho de mis padres, especialmente de mi madre. En la escuela, siempre hacía preguntas y conforme fui creciendo, fui aprendiendo más de los libros que leía. Siempre me gustaba leer sobre la historia. Los libros eran como barcos especiales que me transportaban a otras tierras.

Mi padre, Miguel Zaragoza Valdés, era un hombre apuesto y como su padre, mi abuelo, José María Zaragoza también fue soldado. Los Zaragoza eran una familia de militares. Esta tradición militar terminó conmigo porque mis hijos murieron en la infancia.

Por el lado de mi madre estaba la familia Seguín. Ella se llamaba María de Jesús Seguín —las mujeres mantenían sus apellidos cuando se casaban, por eso mi madre tenía ese apellido. Mi abuelo José María llegó de España al Nuevo Mundo como soldado. Desembarcó en Veracruz y allí se quedó y empezó su familia. Mi padre nació en Veracruz, en el puerto que recibía a todas las personas que venían a la Nueva España. Mi padre se enlistó en el ejército español y en 1810, fue enviado a Nacogdoches, una de las colonias de España en el este de Texas. Recibió entrenamiento básico sobre cómo cargar y disparar un mosquete así cómo usar una bayoneta.

Nuestra Señora de Guadalupe de los Nacogdoches es el nombre completo de una misión establecida en Tejas en 1716. Era uno de los pueblos más antiguos en la Texas española y fue llamada con el nombre de los indígenas que vivían allí, la tribu Nacogdoches. La palabra *tejas*, le dio su nombre a la región, y viene de la palabra "amigo" de la lengua de otra tribu indígena.

Los franceses invadieron el área de Tejas tres años después y se quedaron en el territorio por un tiempo. La región entera fue devuelta a España en 1773. Nacogdoches se convirtió en una importante ruta de comercio entre la nueva república al norte, llamada los Estados Unidos, y la Nueva España. El capitán Antonio Gil Ibarvo estableció un fuerte allí. En esos

años la gente de la Nueva España estaba tratando de independizarse.

Aprendí ésta y otras historias durante la merienda de la tarde. Mi madre servía la merienda con café cargado y algo dulce. Yo tomaba té porque odiaba el café. Durante esas meriendas mi madre me contaba una y otra historia sobre mi padre. A Elodio, mi hermano mayor, no le gustaba oír las historias porque prefería jugar afuera.

CAPÍTULO 2
Cómo se conocieron mis padres

Mi madre, María de Jesús Seguín Martínez, nació en una de cinco misiones a la orilla del Río San Antonio, la que llevaba el nombre de San Antonio de Valero. Las misiones con frecuencia estaban protegidas por fuertes llamados presidios. Mi madre nació en el Presidio del Espíritu Santo de la Bahía en el sur de Texas. Allí creció, y años después yo pasaría parte de mi infancia allí.

Mi padre vio a mi madre por primera vez cuando ella iba caminando por la plaza enfrente de la catedral de San Fernando en San Antonio. Él estaba haciendo guardia en el cuartel general del ejército al otro lado de la calle. Mi padre les preguntó a sus amigos quien era esa joven bonita. Quería pretender a María de Jesús.

Mi madre me confesó que ella sabía que mi padre, con sus responsabilidades militares, no era el mejor

partido para ella. Siempre estaría de guardia y pasando el tiempo con otros soldados. Sin embargo, ella se enamoró y se casó con él. Tal vez porque era guapo y no era presumido, o porque los soldados recibían un salario constante. Los soldados y las mujeres no tenían que cultivar o buscar su comida, como otras personas en la frontera. Muchos de ellos tampoco se quedaban en el ejército para siempre. Mi madre esperaba que ese fuera el caso con mi padre, que dejara el ejército y sentara cabeza.

Cuando mi padre finalmente supo el nombre y la dirección de mi madre, fue a su casa y se presentó. Allí le pidió permiso a su padre para que lo dejara visitarla cuando pudiera. No hubo ningún rasgo de timidez o miedo en su voz. En menos de un año le pidió matrimonio. El padre de mi madre pensó que él sería un buen partido pero mi abuela materna no estaba de acuerdo. Mi futuro abuelo autorizó que Miguel Zaragoza se casara con María de Jesús Seguín y les dio su bendición. Se casaron el 5 de julio de 1826 en el mismo lugar en donde mi padre la vio por primera vez, en la catedral de San Fernando, la iglesia más antigua en Texas.

Los recién casados pronto empezaron una familia. Su primer hijo fue Miguel Elodio, a quien siempre llamamos Elodio, y no Miguel, como mi padre. Yo fui

el segundo, nací el 24 de marzo de 1829. Mi hermana Genoveva nació en 1833 y, un año después, nació otra niña, Elena. Ella murió un poco después de llegar al mundo. Dolores nació en 1842. En 1845 nació mi último hermano, José María de Jesús Zaragoza Seguín. Yo tenía dieciséis para ese entonces. Mi recuerdos más claros son los que compartí con mi hermano mayor. No recuerdo mucho de mis hermanas menores o de mi hermanito.

CAPÍTULO 3
México gana la independencia

Mi madre me contó la historia de cómo México se independizó de España durante una de nuestras meriendas con pan del polvo (mis galletas favoritas) y su café. De acuerdo a ella y a los libros que leería después, la guerra de independencia de México se inició en 1810 cuando dos curas católicos, Miguel Hidalgo y Costilla y José Morelos empezaron a hacer campaña para que sus parroquianos protestaran y pelearan contra el gobierno español. Ellos querían derechos igualitarios para las personas nacidas en la Nueva España; los españoles nacidos en Europa dominaban todo y se pensaban superiores a las personas de origen indígena y mestizo, y hasta de los hijos de los españoles nacidos en el Nuevo Mundo. Ambos curas fueron capturados en las batallas y asesinados por el ejército español. Después de una larga batalla en donde murieron personas de todo origen —indígenas, mestizos, criollos y demás— la reina Isabela II de España abdicó y firmó el Tratado de Córdoba que reconocía la independencia de México el día 21 de agosto de 1821.

En ese mismo año, mi padre fue transferido de Nacogdoches a San Antonio. Mi padre tuvo que cambiarse de uniforme y jurar lealtad a una nueva bandera: la de México. La bandera española que teníamos en casa era linda con una corona de rey, leones, castillos y dos colores brillantes. Yo no sabía por qué la bandera mexicana tenía un águila parada encima de una nopal devorando una serpiente. Los colores también eran brillantes: rojo, blanco y verde. Resultó que la bandera mexicana conmemoraba la capital azteca, Tenochtitlán, que eventualmente se convirtió en la Ciudad de México. De esta forma la nueva República Mexicana se identificaba con los amerindios del Nuevo Mundo. De hecho, muchos de los nombres de las ciudades, ciertamente los lugares, aún llevan los nombres en náhuatl.

Mi madre me contó que después de que México ganó su independencia siempre había un grupo de mexicanos que abogaba por igualdad y libertad; peleaba contra otro grupo de fieles a España que querían un monarca católico como líder. Dijo que en aquel entonces no había mucha diferencia entre el gobierno y la iglesia porque la iglesia católica tenía todo el dinero y el gobierno tenía poco y había que pedirle prestado a la iglesia. Muy pronto los fieles a los españoles se enfrentaron con los liberales quienes querían una nueva nación, un México libre e independiente del control europeo.

CAPÍTULO 4
La guerra de Texas por la independencia

Aunque Texas aún le pertenecía a España, el rey les permitió a los angloamericanos de los Estados Unidos ir y establecerse allí. El rey les dio tierra que pertenecía a los amerindios y alentó a más anglos a moverse a ese territorio. Cuando México ganó su guerra y se independizó de España en 1821, la práctica de darle tierras a los anglos continuó. En 1825, Stephen F. Austin, hijo del primer anglo en recibir una concesión de España fue uno de los primeros colonos en ser admitidos por México. México le dio a él y a su grupo de colonos tierra con tal que prometieran lealtad al gobierno mexicano, fueran buenos católicos y no trajeran esclavos africanos a México. Pero los anglos no respetaron las reglas mexicanas en contra de la esclavitud. Para 1930, Stephen F. Austin tenía 443 esclavos africanos, y cuando empezó la Revolución de Texas en 1835, ya había más de 5,000 africanos esclavizados en ese territorio. Muchos de los anglos, como Austin, emigraron del sur de los Estados Unidos donde toda la

economía estaba basada en el trato inhumano de los esclavos, quienes eran forzados a hacer todo el trabajo manual y difícil sin pago. México había abolido la esclavitud un poco después de su independencia. De hecho, con frecuencia, los esclavos huían del sur de los Estados Unidos para vivir en libertad en México.

En parte para proteger a sus comunidades de esclavos y para practicar el protestantismo, los anglos y algunos tejanos (méxico-tejanos) deseaban romper lazos con el gobierno mexicano. En 1835, cuando el número de anglo texanos aumentó hasta ser mayor que el de los mexicanos, éstos empezaron a luchar para separarse de México. Algunos méxico-tejanos apoyaron a los anglos en contra del gobierno mexicano. Otros querían que se expulsara a los anglos y se regresaran a los lugares de donde vinieron. Por suerte, cuando estas peleas entre los anglo-tejanos y los méxico-texanos ocurrieron, mi padre fue transferido de San Antonio a un nuevo puesto en el sur cerca del Río Grande.

La pelea entre los anglos y los mexicanos se dio en San Antonio y por Nacogdoches, el lugar del primer puesto militar de mi padre. Él y nuestra creciente familia se sentían afortunados de estar en Goliad, lejos de las peleas entre los nuevos colonos y los mexicanos recién independizados. Mi padre, Miguel Zaragoza, ahora era soldado de México y no de España, y tenía rango de sargento. Me explicó que el presidente mexicano ahora iba a ser el general de todo el ejército. Antonio López de Santa Anna era su nombre.

El general Santa Anna marchó con sus tropas cerca de la casa de nuestra familia en el Presidio de la Bahía del Espíritu Santo camino a San Antonio. Tenía la intención de sacar a todos esos intrusos anglos que habían traído esclavos y se habían rebelado en contra de su gobierno. Para entonces, ya se habían llevado a cabo muchas confrontaciones entre anglos rebeldes y soldados mexicanos, y el conflicto había escalado hasta convertirse en una verdadera guerra.

Recuerdo lo preocupada que estaba mi madre cada vez que mi padre salía del fuerte con otros soldados. Ella no sabía adónde iba o si regresaría. Sus parientes, los Seguín de San Antonio, de vez en cuando le decían que los anglos querían independizarse de México. Ella también me dijo que su propio tío Erasmo y sus primos estaban peleando en el lado de los anglos en contra de San Anna.

A mi padre no le agradaba eso para nada. Pero tanto mi padre como mi madre estaban felices de que Santa Anna no le hubiese ordenado a mi padre que fuera a San Antonio para pelear en contra de los anglos. Mi madre me contó que ambos se habían quedado hablando toda una noche sobre esa terrible posibilidad. Al siguiente día, mi padre recibió la nueva orden pero nos dijo que no nos preocupáramos. Toda la familia y los soldados de su fuerte tenían que mudarse al sur. Recuerdo que empacamos pocas de nuestras pertenencias, ropa y cualquier otra cosa que

pudiéramos cargar. Tuvimos que salir de Goliad inmediatamente y movernos con las demás familias al sur, al otro lado del Río Grande, a Matamoros. Le ayudamos a mi madre a subir nuestras pertenencias a una carreta, una de las tantas que era jalada por mulas y bueyes. Nos dirigimos al sur siguiendo el Río de San Antonio hasta que éste se unió a otro río, el Guadalupe y más tarde al Golfo de México. Dejamos atrás nuestros arcos, flechas, hondas y mi concha de tortuga. En nuestro nuevo hogar tendríamos la oportunidad de hacer más de esas cosas. Mi padre se quedó atrás para asegurarse de que hubiéramos sacado todo del fuerte.

Cuando nos establecimos en Matamoros supimos que Texas había ganado la guerra y que ahora era una república independiente. Más tarde, en 1845, Texas se convirtió en un estado de los Estados Unidos. Ese año, el 28 por ciento de los habitantes de Texas eran esclavos africanos. Aunque es difícil imaginarlo, había más esclavos africanos viviendo en Texas que mexicanos. En 1800, vivían más españoles en Texas que anglos, y aún cuando Texas pasó a ser parte de México en 1821, había más mexicanos que anglos. El nuevo estado era un Texas que no reconocíamos. Hasta ese entonces había sido parte de México pero ahora parecía que los tejanos no querían mexicanos dentro de sus fronteras.

CAPÍTULO 5
Los años en la casa cerca del presidio

Extrañaba los años cuando mi familia vivía cerca del presidio, el fuerte. Había tantos recuerdos atados a ese lugar. En 1821 los comandantes les dieron a mis padres una casita justo al otro lado de las paredes del fuerte mexicano. Los soldados solteros vivían en el fuerte y los casados y los oficiales vivían en casitas justo al otro lado. El Presidio de la Bahía del Espíritu Santo era el mismo lugar en donde mis abuelos maternos habían vivido muchos años antes. No era la misma casa pero sí la misma región.

El rey Felipe V de España ordenó la construcción del fuerte en 1721 pero no fue terminado hasta 1729. Cien años después, alrededor del año en que nací, el nombre del fuerte cambió a Goliad. El fuerte y las viviendas a su alrededor aumentaron con rapidez conforme llegaba más gente. El área en las afueras se fue poblando con las nuevas familias y toda esa zona se llamó Goliad.

En 1829, el año en el que nació mi padre, había aproximadamente 795 personas viviendo en Goliad, mayormente dentro y alrededor del fuerte. Algunas personas, entre ellas mi madre, decían que Goliad era un anagrama. Le pedí que me contara más sobre eso porque no sabía lo que significaba esa palabra. Ella me dijo que un anagrama es una palabra o frase hecha de las letras de otras palabras o frases. Me confundía al principio, pero luego lo empecé a ver como un buen rompecabezas. Goliad se forma de las letras que se pronunciaron en nombre del héroe de la independencia de México: Hidalgo. La "h" queda fuera de la palabra porque es una letra muda. El pueblo fue nombrado en honor del gran hombre, Miguel Hidalgo y Costilla, quien es conocido por haber dado el grito para que los mexicanos se levantaran a luchar por su independencia de España.

Nuestra casita tenía una cocina chiquita y dos cuartos. Cada cuarto tenía un ventana alta en una de las paredes y dos puertas, una al frente y otra atrás. Mis padres dormían en uno de esos cuartos y, más tarde, una de las bebés dormiría en la cama con ellos. Mi hermano mayor, Miguel Elodio, y yo dormíamos en el otro cuarto. La casa estaba hecha de adobe, es decir, ladrillos de lodo y paja. La tierra mezclada con el agua hacía el lodo, y cuando ésta se mezclaba con un poco de paja se hacía el ladrillo. Se colocaba el ladrillo bajo el sol para secarse. Cuando endurecía, el ladrillo se

utilizaba para hacer casas, muros, fuertes y otros edificios. Algunas personas cubrían los ladrillos con una mezcla de arena, lejía y caliche —un tipo barro de blanco, muy común en esa zona. Desde lejos, las casas en nuestra calle lucían de un blanco sólido.

Mi madre me contó que yo no era un niño llorón. Me dijo que ella me alimentaba cada tres horas, y yo me dormía inmediatamente, que sólo lloraba cuando tenía sucio el pañal o cuando tenía hambre. A los tres meses, para su alivio, yo ya dormía toda la noche. Mi padre también estaba contento conmigo porque también se despertaba cuando yo lloraba en la madrugada por tomar leche. Nunca me enfermé cuando era bebé. Yo era un bebé sano, feliz, que siempre sonreía y reía.

Como Elodio era dos años mayor que yo, cuando pudo hacerlo, tenía que llevar los pañales sucios al río para lavarlos. Él también ayudaba a acarrear agua a la casa. Cuando crecí y pude ayudar, ambos teníamos que trabajar en la casa y el jardín. Miguel Elodio le ayudaba a mi madre cuidándome mientras ella trabajaba en la casa o en el río. También le ayudábamos a Mamá a cuidar de las gallinas y del huerto que estaba detrás de la casa. Yo tenía que desmalezar el jardín. Con frecuencia me metía en problemas con Elodio y Mamá porque sacaba las verduras pensando que eran maleza. No sabía distinguir entre una y otra.

Cuando no estábamos trabajando para mi madre, jugábamos en la casa, adentro, afuera o cerca del Río

San Antonio. Cuando nos íbamos al bosque, ella siempre nos advertía sobre la hiedra venenosa. La hiedra crecía en los árboles, y el aceite en sus hojas verde oscuro nos causaba tanta picazón que cuando nos caía encima era imposible olvidarlo. Nunca se debía rascar la picazón porque el aceite se metía debajo de las uñas de los dedos y la picazón volvía a aparecer en las otras partes del cuerpo que se rascaban. La picazón no se quitaba a menos de que se lavara el área con jabón y se le pusiera emplasto de lodo encima. Esto le pasó a Elodio una vez. Tuve que mezclar agua y tierra para hacer el lodo que mi madre usó para curarlo.

Otra tarea que hacíamos para Mamá era acarrear agua del río para que ella la hirviera en una tetera grande sobre una fogata en el patio. Odiaba la larga caminata cargando los pesados jarros de agua —iba y venía hasta que mi mamá nos decía que ya tenía suficiente. Los jarros me dañaban las manos y los dedos. Sin embargo, era divertido prender la fogata. Me gustaba recoger la madera cerca del río.

Cuando era pequeño trataba de tirarle piedras a los animales y pájaros, quería cazarlos como Elodio lo hacía con su honda. Yo no podía tirar las piedras lejos y fuerte, y tampoco tenía buena puntería. Nunca les atinaba a mis presas cuando tiraba desde lejos. Finalmente, el día que mi padre trajo a casa unos pedazos de piel delgados y largos, Elodio me enseñó cómo

hacer una honda para tirarles piedras a los pájaros, a las ardillas y a los conejos. Usamos piel de conejo para hacer el bolso y luego hicimos dos hoyitos a cada lado del bolso para atar las cuerdas de piel. Para tirar piedras con la honda teníamos que darle vueltas y vueltas y luego soltar un lado de la cuerda justo en el momento correcto para darle al blanco. Al principio, Elodio olvidó decirme en cuál dirección debía girar la honda. No puse mucha atención a ese detalle. Si se giraba la honda en sentido horario, cuando se soltaba la piedra ésta salía disparada para detrás. Si la giraba en sentido anti horario, la piedra salía disparada hacia enfrente. Tuve que practicar mucho, pero eventualmente aprendí.

Una día, Papá trajo a casa un arco y unas flechas. Los soldados mexicanos ocasionalmente peleaban contra las tribus amerindias de la zona. Cuando los amerindios perdían la batalla o eran muertos, algunos soldados recogían los arcos, las flechas, hachas y lanzas que quedaban tiradas por el suelo. Papá le enseñó a Elodio a hacer su propio arco y flechas porque el que había traído a casa era demasiado duro. Era el arco de un hombre adulto; además las flechas eran muy largas. La mejor madera para hacer un arco no era la del mezquite ni la del roble o el álamo sino la del laurel. El laurel crece bien alto y tiene ramas rectas y del grosor perfecto —casi una pulgada. La rama de un laurel se puede doblar sin que se quiebre. Esto

es lo que hace que esta madera sea perfecta para el arco. Las flechas hechas con el laurel también son buenas porque son rectas y no torcidas como las del mezquite. Elodio eventualmente me enseñó a hacer mi propio arco y flecha. Los dos íbamos al río con nuestros arcos, flechas y hondas. Traíamos a casa lo que lográbamos cazar: pájaros, algunas ardillas y de vez en cuando un conejo.

También aprendí a pescar con Elodio. Hicimos nuestras propias cañas de pescar con largos palos que encontramos a la orilla del río en una zona que llamábamos carrizales. Allí no había hiedra venenosa, y eso era algo bueno. El carrizo, como el bambú, es difícil de quebrar. Elodio tuvo que mostrarme la diferencia entre el carrizo y la caña de azúcar, ambos eran muy parecidos. La caña también era larga, recta y fuerte. Cuando se pelaba o se le quebraba un pedazo, la parte de adentro era bien dulce. Mi madre usaba las botellas de vidrio y las piedras para exprimir la caña pelada y sacarle el jugo. Nosotros chupábamos trozos de caña como golosina.

Las mujeres en el fuerte pelaban los tallos de carrizo y con ellos hacían canastas. Mi madre tenía varias de ellas. Eran lindas, resistentes y fuertes. Si no me lo hubiera dicho, nunca me habría imaginado que las canastas estaban hechas de pedazos de carrizo.

Los pescadores también hacían uso del carrizo. Ellos le tallaban la punta con la navaja para hacer una lanza para empalar los peces que nadaban en la orilla del río o en el bajío.

CAPÍTULO 6
El Río San Antonio

En algunos lugares del río el agua no era profunda y caminábamos en ella hasta que nos llegaba a las rodillas. Allí veíamos que los peces nadaban a nuestro alrededor. Cuando lográbamos empalar uno o dos, regresábamos a casa. Mamá me hacía limpiarlos en el patio. Tenía que tirar las vísceras y escamas lejos de la casa. Los pescados apestaban y era difícil limpiarlos. Entre más escamas quitábamos, más aparecían. Odiaba tener que quitarles la piel y por eso dejé de pescar. Era por eso que no me gustaba comer pescado porque después de limpiarlo y olerlo tanto, perdía mi apetito.

A mí me encantaban el río y el bosque detrás del fuerte. Conforme fui creciendo trepé más y más árboles y me maravillaba qué tan lejos podía ver cuando estaba sentado en las ramas más altas. Un día mientras estaba encima del árbol mirando a la nada, vi que un pájaro grande voló de un árbol hacia la tierra.

Nunca antes había visto un pájaro tan grande. Tenía unas patas largas y flacas y el cuerpo gordo y grande. También tenía algo como un fideo colgándole a un lado de la cara. Al pájaro grande le gustaba comer bayitas rojas de unos arbustos.

Cuando regresé a casa ese día, primero le pregunté a Elodio si sabía qué tipo de pájaro era. Él no sabía. Así es que le pregunté a Mamá si sabía qué tipo de pájaro era y si lo podíamos comer. Dijo que era un guajolote, un pájaro que se encuentra en México y no en España. Después comprobé lo que me dijo: los guajolotes sólo existen en las Américas. Lo mismo con el maíz. Mi madre dijo que éste es el grano de oro de las Américas que fue cultivado por los amerindios antes que otras personas. Ella le explicó a Elodio y a mi padre que hay tres granos que le han proporcionado alimentos a la gente de todo el mundo a través de los siglos: el maíz de las Américas, el arroz de Asia y el trigo de Europa. Oí las palabras que pronunció Mamá pero no tenía idea qué era "las Américas", "Asia" o "Europa", y mucho menos "siglos". Más tarde mi padre sacó un mapa del mundo con países y continentes marcados con sus nombres, y aprendí dónde estaban esos lugares. También le pregunté qué significaba "siglos". Me dijo, "Cien años".

Me tomó mucho tiempo matar y traer el guajolote a casa. Mi madre se puso bien contenta cuando vio que había traído el pájaro grande. Me ordenó que aca-

rreara agua del río y que prendiera el fuego. Ella hirvió el agua que después vertió encima del pájaro para desplumarlo. Como no se le cayeron todas plumas, tuvimos que quitarle cientos de plumitas de sangre oscuras con la mano. Yo me quedé con unas plumas grandes que le quité de la cola.

Cuando le quitamos todas las plumas, mi madre partió el guajolote por la mitad y le sacó la molleja. Era sólo una parte del cuerpo cuando me la mostró. Pero luego cuando la abrió, sacó la masa que había adentro y me dijo que nunca tocara o comiera los puntitos rojos que le estaba sacando. De la nada, Elodio le preguntó por qué no teníamos que hacer eso. Ella dejó que Elodio le lamiera el dedo que había tocado los puntitos rojos y parte de unas bolitas rojas. Éste empezó a gritar y a pedir agua. Le quemaba la lengua. A mí me dio mucho miedo.

Nunca voy a olvidar la mirada en la cara de Elodio. Estaba a salte y salte en la cocina por el dolor. Las bolitas rojas eran un chile llamado "piquín". Yo había visto las bolitas en los arbustos, pero nunca las había tocado. Después de eso, nunca me acerqué a ellas. Sólo me escondía detrás de los arbustos para ver si podía atrapar un guajolote mientras éste las comía.

Aprendí que cuando mi mamá estaba limpiando un animal, no debía hacerle preguntas o lamer su dedo aún cuando ella me dijera que lo hiciera. Con frecuencia le pedía que me dejara lamer el tazón o sus

dedos cuando estaba mezclando la harina para hacer pastel de chocolate o tortilla de azúcar, cualquier cosa dulce. Ella no me dejaba meter los dedos en la mezcla porque siempre traía las manos sucias al igual que Elodio.

A veces Elodio y yo nos recostábamos en la orilla del río por horas mirando los peces nadar, escuchando los ruidos de los animales y el fluir del río. Siempre me preguntaba de dónde venía esa agua, y más me interesaba saber adónde iba. Pensaba que el lugar adonde iba tenía que ser un cuerpo de agua grande. Cuando le pregunté a Elodio sobre todo esto, él parecía no saber la respuesta.

Un día, encontré una tortuguita, la traje a casa y me regañaron. Mamá me hizo regresarla al lugar donde la había encontrado. Me dijo que sólo trajéramos tortugas grandes que ella pudiera cocinar para hacer una buena cena. También me dijo que tuviéramos cuidado de que no nos mordieran. Las quijadas de las tortugas son tan fuertes que pueden cortarte un dedo de una mordida. Su advertencia me dio mucho miedo. Me alejé de toda tortuga. Un día encontré la concha de una tortuga sin huesos y nada adentro. Por encima, el patrón en la concha era complejo, fascinante como una telaraña pero por debajo era poco colorida y sin diseño; básicamente era una concha blancuzca y dura. Me gustaba el sonido hueco que hacía cuando le pegaba con un palo o una piedra. Con

dos palos, el sonido era como el tamborileo de los
soldados que marchaban en el fuerte. Llevé la concha
a casa para mostrársela a mi madre y a Elodio. Me
permitieron quedarme con ella con la condición de
que no debía tocarla adentro de la casa, especialmente cuando mi padre estuviera durmiendo su siesta.
Cuando Elodio consiguió su propia concha de tortuga, tampoco lo dejaron tocarla como tambor adentro
de la casa. Si lo hacíamos, mi madre nos gritaba,
"¡Basta! ¡Sálganse!"

También tenía curiosidad de por qué había tantos
insectos y distintos tipos de arañas en el mundo.
Nadie sabía la respuesta a esa pregunta tampoco.
Pasaba tanto tiempo en el bosque y al lado del río que
las plantas, los insectos, los peces y los demás animales eran como mi propiedad personal. Eran míos para
descubrirlos y estudiarlos. Las arañas que encontré en
el bosque me inspiraron mucha curiosidad. Cuando
por primera vez quedé atrapado en una telaraña, bata-
llé para sacármela de la cara. No la vi y simplemente
caminé a través de ella. Tenía tanto miedo de que la
araña aún estuviera en la telaraña y que me picara.
Después de eso aprendí a cuidarme de las telarañas y
a no quedar atrapado en ellas. Estudié las telarañas
que encontraba y quedé impresionado con su comple-
jidad y su fortaleza. No se rompían fácilmente cuando les picaba o empujaba. También pude ver la rapidez con la que las arañas construían sus telarañas. Yo

podía destrozar una telaraña un día y al día siguiente aparecía de nuevo.

Mi primer susto con una araña grande fue con una tarántula, una de esas arañas de patas largas y peludas. Había tarántulas y escorpiones en el fuerte cerca de nuestra casa. Siempre me cuidaba de ellos. A Elodio le había picado uno en la mano una vez. La mano se le había hinchado mucho. Mamá me hizo traerle tierra y telarañas para curarlo. Mezcló lodo con agua hervida y unas hojas medicinales, luego le puso el mejunje en la picadura. La telarañas ayudaron a mantener el lodo sobre el piquete. Elodio estuvo bien enfermo por dos días.

Cuando yo era pequeño mi familia siempre se mudaba de casa. Como mi padre era soldado, él tenía que hacer lo que debía cuando le ordenaban que fuera a defender otro lugar. Un día, mi hermano y yo encontramos un viejo uniforme en el baúl de la familia. El uniforme era diferente al que mi padre usaba entonces. Yo era muy pequeño, apenas tenía tres años, y no sabía la diferencia. Elodio sí le preguntó a nuestra madre sobre los uniformes y los parches. Ella nos dijo que nuestro padre primero había sido un soldado para España. Luego, unos cuantos años antes de que yo naciera, se convirtió en soldado de México. Elodio y yo no comprendíamos por qué nuestro padre podía cambiar ejércitos y cómo había acontecido. Tanto mi padre como mi madre intentaron explicarnos el signi-

ficado de las palabras "soberano", "independencia" y "rebelión", pero Elodio y yo éramos demasiado pequeños para entenderlo.

Podríamos haber aprendido sobre esto en la escuela, pero no había escuelas donde vivíamos. Sin embargo, sí recibíamos lecciones de los sacerdotes que venían al fuerte para enseñarles a los amerindios sobre la Biblia. Aunque hubiéramos tenido una escuela, yo habría sido demasiado pequeño para asistir. Lo que aprendí fue por mi madre. Cuando mi padre estaba en casa, él trataba de contestar mis preguntas, pero siempre estaba demasiado cansado.

CAPÍTULO 7
Las batallas que cambiaron nuestras vidas

De acuerdo a lo que nuestro padre nos contó, el general Santa Anna cruzó el Río Grande rumbo a San Antonio a principios de enero de 1836. Para el 23 de febrero, él y su ejército estaban en San Antonio. El general Santa Anna era un buen católico y no creía que sus tropas debían disparar hacia la misión San Antonio de Valero, que más tarde llamaríamos El Álamo, ya que era una iglesia. Después de varios días, cuando los soldados les disparaban a sus hombres por detrás de las paredes de la iglesia, él les ordenó a los soldados que entraran a la fuerza y mataran a los rebeldes que estaban escondidos adentro. Supuestamente, después de tomar el Álamo, Santa Anna estaba tan enfurecido por la rebelión principalmente anglo-tejana que les ordenó a sus soldados que marcharan hacia el sur, hacia Goliad. Quería tomar control del fuerte y del pueblo. Tuvieron éxito.

Santa Anna tenía más soldados que el general James Walker Fannin. Mi abuelo supuestamente dijo que el general Santa Anna ordenó que Fannin y sus 341 soldados fueran fusilados allí mismo. Santa Anna después marchó hacia San Jacinto para encontrarse con los rebeldes que quedaban. El general dejó la orden de que mi padre se quedara cuidando a los demás prisioneros anglo-sajones que tenían en el fuerte. En esos largos días, Miguel Zaragoza y todos los soldados mexicanos se fueron al fuerte y esperaron recibir nuevas órdenes de sus oficiales. Éstas no llegaron. Más tarde descubrimos que el ejército de Santa Anna fue derrotado por Sam Houston en la Batalla de San Jacinto.

Tuvimos que dejar el fuerte e irnos hacia Matamoros, al sur de Goliad por el Río Grande y en la costa. Era toda una experiencia el viajar en carretas jaladas por bueyes y mulas. No sólo teníamos que dejar el fuerte y nuestra casa atrás sino que también íbamos a un lugar extraño en una carreta llena con nuestras pertenencias. Todos íbamos en carretas, formamos un largo tren. Nos tomó muchos, muchos días para llegar a Matamoros; el tren de carretas tuvo que cruzar muchos ríos. El viaje fue lo más aburrido que había hecho hasta entonces. No dejaba de preguntarles a todos por qué teníamos que mudarnos, pero parecía que nadie tenía una buena respuesta. Creo que la

mayoría de la gente estaba confundida y con miedo, como yo.

El peor problema era que no me podía bajar de la carreta para ir a jugar con los otros niños. Todos teníamos que quedarnos en la parte trasera de la carreta y mirar hacia atrás. Parecía que el camino se alejaba de nosotros de manera inexplicable. Algunas veces, estar sentado allí era difícil por el calor. Las mulas, los caballos, los burros, los bueyes y las ruedas crujientes de la carreta de madera levantaban el polvo. Algunos días éste era tan espeso que no podíamos ver la carreta que venía detrás de nosotros. Para poder respirar, teníamos que cubrirnos la nariz y la boca con pañuelos para no dejar que el polvo nos tapara los pulmones. Recuerdo que los más chicos lloraban constantemente.

El hambre era otro problema. Ninguna familia podía detener la carreta y decir "Vamos a cocinar algo y descansar". Nadie podía parar y cocinar hasta la noche, cuando se detenían todas las carretas. La mayoría de los días comíamos sólo una vez al día: tortillas y frijoles. En la merienda, nos comíamos las tortillas y los frijoles que sobraban. A veces, mi mamá repartía pedazos de carne seca.

Un día, como a las doce, se acabó el camino en lo que parecía ser un río poco profundo. Era un lugar pantanoso cerca del Mediterráneo Americano, que después sería conocido como el Golfo de México. La pregunta principal para todo mundo, no sólo para mí, era cómo

íbamos a cruzar ese pantano con las pesadas carretas, las mulas, los burros, los bueyes y los caballos.

Como si lo hubiésemos planeado, mi padre llegó junto con otros soldados en caballos y mulas. Cortaron árboles y ramas para hacer un puente sobre el pantano. Luego, los soldados cruzaron montados a caballo al lado seco del pantano juntos con las mulas, los bueyes y los caballos jalando las carretas. La gente se montó en los animales cargando lo que pudieran llevar al lado seco. Jalados por cuerdas en el cuello de los animales y en las carretas, los soldados los jalaron al otro lado, uno por uno. Cuando todas las carretas llegaron a tierra seca, todos volvieron a subir las cosas en sus carretas, ataron los animales y reiniciaron el viaje. Por unos días, los soldados viajaron al lado de sus familias y contaron historias sobre la guerra y las batallas en Goliad y en otras partes de Texas. Las historias eran devastadoras.

Mi madre estaba aterrada al saber por mi padre que el rebelde general anglo, James Walker Fannin, había atacado el fuerte en Goliad, donde mi padre estaba ahora. Al final, Fannin quedó en control cuando se les ordenó a los soldados mexicanos que dejaran el fuerte. Les dijeron a los soldados mexicanos que esperaran nuevas órdenes al otro lado del Río Grande, pero esas órdenes nunca llegaron. Fannin tomó control de Goliad sin mucho esfuerzo. Le cambió el nombre al fuerte a Fort Defiance (Fuerte de

Resistencia) y reemplazó la bandera mexicana con su bandera.

Después de unos días, todos lo soldados, incluyendo mi padre, desaparecieron. Pero como lo hicieron antes, regresaron para dirigir el cruce del siguiente río, el Río Nueces, justo en la afueras de Corpus Christi. El nombre de la ciudad significa "el cuerpo de Cristo" en latín. Aunque las familias de las carretas no entraron al pueblo, nos dijeron que Corpus Christi no era más que un asentamiento, más pequeño que Goliad. Los soldados que habían desaparecido unos días antes aparentemente se habían adelantado para hacer un chalán, es decir, un piso flotante hecho de troncos de árbol partidos a la mitad. Ataron sogas a ambos lados del chalán para poder jalarlo con facilidad sobre el río. Cuando las familias de las carretas llegaron a esa parte del río, vieron lo que tenían que hacer. Una carreta, o tal vez dos, debía subir al chalán para luego ser jalada por los soldados hacia el otro lado del río. Los animales también serían jalados en grupos, aunque algunos podrían nadar por su cuenta. Después de cruzar el río, las carretas bajaban del chalán, el cual cruzaba el río de vuelta para transportar las próximas carretas. Todos cruzamos en unas cuantas horas.

De allí seguimos por un camino polvoriento hacia el Río Grande y Matamoros. Lo único bueno de esto es que mi padre volvió junto con otros soldados y

unos prisioneros anglo-tejanos. Comía y dormía con nosotros todas las noches y nos contaba más historias. No eran historias agradables. Papá nos contó sobre muchas cosas terribles que estaban pasando en Goliad y en Texas: los mexicanos de todos lados estaban siendo expulsados violentamente de sus propio país.

CAPÍTULO 8
Nuestra familia ya no es tejana

Finalmente, nuestro padre pudo sentarse con la familia y explicarnos lo que estaba sucediendo y por qué teníamos que salir de Goliad. El general Santa Anna había sido derrotado en la Batalla de San Jacinto, había perdido la guerra contra los rebeldes tejanos. Santa Anna tuvo que firmar un documento cediendo el territorio de Texas. El 14 de mayo de 1836, como presidente de México y prisionero de guerra, firmó un documento conocido como el Tratado de Velasco, declarando que Texas ya no era parte de México. Allí fue cuando Texas se convirtió en su propio país, la República de Texas.

Mi padre nos explicó que otro general, Vicente Filisola, había ordenado que todos los soldados mexicanos salieran de Texas. Por eso mi padre estaba escoltando a las familias militares en su viaje hacia el sur. El Río Nueces cerca de Corpus Christi se convirtió en la frontera entre la República de Texas y la

República de México. La guarnición mexicana más cercana al sur de Corpus Christi estaba en Matamoros, y era allí adonde íbamos.

Después de oír todas estas noticias, no podíamos dormir por la noche. ¿Cómo se pierde un país? ¿Cómo podía Santa Anna como prisionero de guerra tener la autoridad de firmar un tratado y ordenar que los soldados se retractaran? ¿Firmó porque tenía miedo de morir a manos de los anglos? ¿Estaría por perderse el resto de México? ¿Adónde iríamos?

Yo apenas tenía siete años cuando se llevaron a cabo estas últimas batallas en Texas, pero quería saber todo sobre ellas. Mi madre se impacientaba conmigo por todas las preguntas que hacía. Se sorprendía porque yo no dejaba de hacer preguntas difíciles para mi edad. Elodio, por otro lado, actuaba con calma y paciencia. Esperaba a que le dijeran lo que debía hacer y no preguntaba mucho.

Cuando nuestras familias llegaron al Río Grande, el chalán estaba listo para cruzarnos. La gente que quería cruzar tenía que pagar. Mi padre, quien estaba a cargo de los soldados, le dijo al hombre que parecía estar al mando que nadie le iba a pagar, que debería cruzarlos a todos, incluyendo los animales. Mi padre fue firme e inflexible con sus órdenes. Allí me di cuenta que los soldados infundían respeto y también temor, así es que valía más hacer lo que pedían. Esta

vez, todos los animales subieron al chalán porque era más grande.

Toda la familia Zaragoza llegó a Matamoros sin problema. Toda mi familia estaba maravillada con Matamoros. Yo nunca antes había estado en una ciudad tan grande. Cuando nos volvimos a agrupar al otro lado del río, las carretas avanzaron por la calle Santa Cruz, la calle principal que era la única forma de entrar y salir de Matamoros hacia Texas. Al este bullía un gran cuerpo de agua llamado el Golfo de México y al oeste estaba el camino a Reynosa. Al lado de la costa había otro camino que iba hacia Tampico y Veracruz. Así que estábamos por primer vez cerca de centros repletos de habitantes.

Cuando vivíamos en Matamoros, mi padre parecía estar enojado casi todo el tiempo. Comentaba que estaba decepcionado con el presidente y general Antonio López de Santa Anna. Juró que no volvería a ser un soldado o pelear por alguien como él. Sin embargo, mi padre recibió un ascenso a teniente y tuvo más soldados bajo su mando. Parte de su responsabilidad era proteger a todos los prisioneros anglos detenidos en Matamoros. Yo quería saber qué iban a hacer con todos esos prisioneros. También les pregunté a mis padres por qué la ciudad tenía ese nombre tan terrible: "mata moros". No sabía quiénes eran los moros. ¿Qué habían hecho para que los mexicanos quisieran matarlos? Mi madre me prometió contarme

cuando fuera mayor todo sobre las cruzadas que luchaban por tomar control de la península cristiana y española que estaba en manos de los invasores islámicos. Nunca había escuchado la palabra "islámico" antes. No sabía lo que significaba.

CAPÍTULO 9
La vida en Matamoros

Elodio y yo finalmente pudimos entrar a la escuela en Matamoros; nuestras hermanas aún estaban demasiado pequeñas para ir. Nuestra madre había hecho lo mejor que podía para enseñarnos en la casa, pero eso era bien difícil porque no había ni libros ni tiempo para dedicarle a nuestra educación. Mis maestras le informaron a mi mamá por qué era que yo no podía leer las palabras en la página o lo que estaba escrito en la pizarra si estaba lejos de ellos. Yo tenía que pegar mi cara a los libros para poder ver las letras y los números. No podía simplemente pararme e ir a la pizarra durante la clase cada vez que no podía leer lo que maestra había escrito. Yo necesitaba anteojos. Las maestras le dijeron a mi madre dónde conseguirlos.

Pero los anteojos eran muy caros. Aunque ahora teníamos más dinero, porque mi padre tenía un nuevo rango que le pagaba un buen salario, no había muchos doctores en Matamoros que supieran cómo

ordenar el tipo de anteojos que yo necesitaba, ni mucho menos cómo ordenar lentes para los anteojos. Al final Mamá encontró el médico que le habían recomendado las maestras, y eventualmente conseguí mis anteojos. Ese día se abrió el mundo para mí. Podía ver de lejos y de cerca. Rápidamente aprendí a leer y a escribir mejor, y en mis libros encontré las respuestas a tantas preguntas. Con los anteojos, me fue muy bien en la escuela.

La mudanza a Matamoros nos resultaba buena porque íbamos a la escuela con niños de nuestra edad con quien también jugábamos. Este pueblo grande también tenía muchos tipos de tiendas. Había un mercado al aire libre con comida, una plaza y una iglesia grande con campanas. La iglesia no estaba adentro de un fuerte como la de Goliad. De hecho, esta iglesia era una catedral, grande y espaciosa. Podían caber más de 200 personas durante la Misa, y había espacio para más en las capillas de los costados. Detrás de la catedral había una plaza principal en la calle Morelos. Estos dos lugares ocupaban dos cuadras entre las calles Cuarta y Quinta. Había otra plaza al otro lado del mercado al aire libre, en las calles Manuel García y Sexta. Siempre había mucha gente, especialmente en el mercado de la calle Sexta y en la plaza.

En los domingos, nuestros padres nos llevaban a Misa en la catedral. Después de la Misa, la familia iba a la panadería y Papá nos compraba todo tipo de pan

dulce recién horneado —empanadas con varios rellenos, pan de polvo, pan de huevo, campechanas, repostería y semitas. Llevábamos el pan a casa y lo comíamos con chocolate caliente. Mis padres tomaban café.

A mí me encantaba ir al mercado con mi madre, no sólo para ayudarle a cargar las cosas que compraba, sino también para ver las gallinas desplumadas y las otras carnes colgando de ganchos. Había pescados apestosos en las mesas y pilas de frutas y verduras que nunca antes había visto. Los olores del mercado: el café y la vainilla . . . y la canela molida y hervida para hacer bebidas. Todo esto quedó grabado en mi memoria para siempre. En el mercado probé algunas de esas bebidas en el mercado por primera vez. En Goliad, no habríamos podido conseguir muchas de esas cosas ni cultivarlas en nuestro huerto. Recuerdo que mi abuelo a veces venía a casa con bolsas de canela y vainilla, a veces traía chocolate. En Matamoros, esos artículos estaban por todos lados. A la mano.

Ahora que ya íbamos a la escuela, necesitábamos zapatos. Ya no debíamos usar las chanclas o sandalias que calzábamos cuando no andábamos descalzos. Para ir a la iglesia, hasta mis hermanitas tenían que usar zapatos. Mamá me contó historias de cuando me compró mis primeros zapatos y eso me hizo reír.

Por alguna razón, Elodio pronto aprendió a atarse las agujetas pero a mí me tomó más tiempo. No

importaba cuántas veces lo intentaba, no podía hacer el moñito para atarlas. Esto me daba mucho coraje, y hasta lloraba por la frustración. En más de una ocasión simplemente metí las agujetas adentro de mis zapatos, pero después de unos cuantos pasos se soltaban y volaban por todos lados. Mi padre me gritaba que me atara las agujetas para que no me cayera. Elodio tenía que ayudarme una y otra vez. ¡Era humillante! A lo mejor era porque mis dedos eran muy chiquitos o porque trataba de hacerlo súper bien, y eso me provocaba ansiedad.

Por fin logré hacerlo y me acostumbré a tener zapatos nuevos cada año. Bueno, ni tan nuevos. Los zapatos nuevos eran más para beneficio de Elodio porque sus pies iban creciendo. A mí me daban los que él iba dejando. A veces recibía zapatos más o menos nuevos; todo dependía de cuán rápido crecían los pies de Elodio.

También recibía las camisas, los pantalones, cinturones, sombreros y calcetines que Elodio dejaba. Odié esos años de mi vida porque Elodio era más grande y más alto que yo, aún cuando entramos en la adolescencia. Siempre parecía que mis pantalones y mis camisas me quedaban grandes. Nada me quedaba bien.

Matamoros tenía muchos negocios: bancos, peluquerías, cantinas, hoteles y restaurantes. Me sorprendía la variedad de trabajo que había en esa ciudad.

Descubrí lo que eran los periódicos, los cuales se vendían en casi todas las esquinas. Había librerías con tantos libros que yo nunca antes había visto. Yo leía el periódico de mi padre. La lectura me daba la oportunidad de hacer más preguntas. Mis padres me contaron el porqué México había perdido Texas. Nunca pude sacarme esa pregunta de la cabeza.

Al leer los libros de historia me enteré que los mexicanos se dividieron por más de veinte años tratando de responder la pregunta sobre el tipo de gobierno que sería mejor para el país. Siempre se dividían en dos grupos grandes: los conservadores y los liberales. Los conservadores querían una monarquía o por lo menos un gobierno central fuerte con un líder militar al mando. Los liberales querían representantes elegidos por el pueblo y que el ejército fuera dirigido por un presidente elegido por el pueblo. Antonio López de Santa Anna, quien había sido general durante el movimiento de independencia mexicana, se convirtió en el líder de los conservadores. Él estuvo a cargo del gobierno de México varias veces. Eso enfurecía a mi padre, quien se mantuvo enojado por muchos años hasta que fue transferido a Monterrey, Nuevo León.

Estas fueron muy buenas noticias para toda nuestra familia. Todos ahora ya estábamos en la escuela, y Monterrey era una ciudad bien grande, mucho más grande que Matamoros. A mi padre le dieron un ascenso a capitán, y asumió el mando de las tropas en

Monterrey. Nosotros, la familia Zaragoza, ahora teníamos más dinero para nuestras necesidades y el cuidado médico. Lo que era más importante, mi padre y
toda la familia estábamos lejos del peligro. México,
aunque había perdido el territorio de Texas, ahora
estaba relativamente en paz. Todo parecía haber vuelto a la normalidad, no había guerra y mi padre pasaba
más tiempo en casa.

Algunos soldados y hombres de negocio venían a
nuestra casa para hablar, fumar y beber. Yo aprendí
mucho escuchando a esos hombres y a mi madre,
quien hacía muchas preguntas interesantes. Era claro
que los mexicanos desde que lucharon por la independencia de España en 1821 habían batallado por
decidir el tipo de gobierno que querían: democracia
con oficiales elegidos como en los Estados Unidos de
América o una monarquía con un emperador o un rey
como en España e Inglaterra.

Desafortunadamente, la paz no duró mucho.
Todos estaban contentos con dejar que la historia flu-
yera. El 5 de marzo de 1842, el general Rafael Vásquez, por su cuenta, ordenó que sus tropas cruzaran el
Río Nueces y volvieran a San Antonio. Peleó y tomó
posesión de la ciudad por unos cuantos días, pero al
no tener refuerzos y munición, no tuvo otra opción
más que regresar a México. Medio año después, el 11
de septiembre, Adrián Woll, otro antiguo general volvió a marchar a San Antonio y tomó control por unas

cuantas semanas. Él también tuvo que volver a México por las mismas razones que el general Vásquez. Al año siguiente, el 16 de mayo de 1843, cuando dos barcos con banderas texanas entraron a las aguas mexicanas en la Bahía de Campeche, cerca de la península de Yucatán, dos barcos de la naval mexicana empezaron a dispararles con sus cañones. Los barcos texanos respondieron al ataque hasta que ambos terminaron con las balas de cañón. Esto se convirtió en un duelo. Al final, cada uno se retiró. Ésta fue la última escaramuza hasta 1846, tres años más tarde, cuando volvió a explotar la guerra. Era evidente que los anglos no tenían ninguna intención de quedarse tranquilos hasta tomar control de todo México.

CAPÍTULO 10

Caballos y pistolas para los hombrecitos

Desde los siete años insistía en preguntarle a mi padre, ya que era soldado, cuándo Elodio y yo íbamos a aprender a andar a caballo y a disparar mosquetes. A veces nos llevaban a montar —a las niñas también—, pero mi padre se sentaba en la montura y llevaba las riendas del caballo en la mano. A mi padre no le gustaba que montáramos solos su caballo.

Mi padre me respondía que cuando estuviéramos más grandes nos enseñaría a montar su caballo. Nos dejó bien claro que no iba a comprar otros caballos. En Monterrey, la gente no tenía caballos en sus casas. Los tenían en los establos del ejército o en establos privados. La objeción más grande que mi padre ponía para no dejarnos montar su caballo era nuestro tamaño. Éramos hombres pequeños, y el animal era inmenso. La montura era otra preocupación porque había sido diseñada para mi padre, un hombre adulto. Nosotros no cabíamos en ella y nos podíamos desli-

zar y caer. Los estribos estaban demasiado altos para que nuestras piernitas los alcanzaran para subirnos al caballo. Papá nos dejaba intentarlo una y otra vez, sólo para reír sin parar con cada intento inútil para meter el pie en el estribo. Mi padre nos levantaba y nos sentaba en la montura. Luego nos decía que intentáramos meter los pies en los estribos ya sentados en la montura, pero no había forma de que nuestras piernas cortas los alcanzaran. Con esas lecciones aprendimos que pasarían muchos años antes de que pudiéramos montar a caballo. La alternativa era montar a pelo cuando Papá no estuviera, pero Mamá no nos permitió ejecutar esa idea.

Cuando Elodio llegó a la adolescencia, él finalmente pudo montar el caballo de Papá. Papá también me hizo esperar hasta llegar a la adolescencia para montar su caballo y aprender a pasear en él. Recuerdo que cuando mi padre se retiró del ejército, los otros líderes militares le entregaron su caballo, que también había envejecido. Allí fue cuando mi padre nos empezó a dejar pasear en él.

Las armas de mi padre también pasaron a nuestras manos durante nuestra adolescencia. Ya nos estábamos haciendo hombres. Palabras como "balas" y "fusil" pertenecían a esos años de mi vida. Los rifles antiguos eran conocidos como "mosquetes". Los mosquetes disparaban balas de plomo. El estallido de pólvora negra dentro del cañón hacía que la bala

saliera disparada. Los largos mosquetes y las pistolas requerían la pólvora para disparar y tenían que cargarse una y otra vez para volver a dispararse. Eso tomaba mucho tiempo. El alcance del mosquete no era muy largo, aproximadamente 300 metros. Era un arma pesada y larga de casi cinco kilos y un metro y medio de largo. Con la bayoneta de 43 centímetros al final, la mosqueta era más alta que Elodio. A mí me sobrepasaba.

CAPÍTULO 11

¿Qué seré cuando sea grande?

Cuando cumplí quince años mis padres me inscribieron en la Escuela Preparatoria, que en aquellos años combinaba estudios de preparatoria y de universidad. Elodio también había ido a esa escuela, y nuestras hermanitas irían allí después. Esta Preparatoria era la última escuela a la que asistían la mayoría de los estudiantes a menos de que tuvieran planes para ir a la universidad. La educación en la universidad era bien costosa. Todas las universidades eran escuelas privadas para los ricos. Nuestra familia simplemente no tenía el dinero para pagarnos una educación universitaria, pero de todos modos a Elodio y a mí no nos interesaba ese tipo de estudio.

Los años en Monterrey fueron transformativos para mí. Se esperaba que, como todos los hombres jóvenes, yo aprendiera una profesión o un oficio. Mi madre intentó empujarme hacia los negocios o el sacerdocio. Mi padre no quería ni ese tipo de vida o

trabajos para mí. Quería que yo continuara con la tradición militar. Mi madre definitivamente no quería que me convirtiera en soldado. Ella insistió, y mis padres me inscribieron en el Seminario Tridentino de Monterrey para los estudios de preparatoria, los cuales me dirigían hacia el sacerdocio.

Odié todos los días que estuve en esa escuela. Tenía que despertarme justo antes del amanecer para llegar a tiempo para la Misa. Tenía que caminar mucho de la casa a la iglesia que estaba cerca de la escuela. Cuando llegaba, tenía que arrodillarme y rezar durante la Misa todas las mañanas antes de que empezaran las clases. Luego tenía que volver a ponerme de rodillas y rezar de nuevo a las doce antes del almuerzo. Lo que más odiaba era que todas esas oraciones fueran las mismas todos los días. La memorización de palabras aburridas y repetitivas hacía que al final perdieran todo el sentido para mí.

También odié las palabras en latín que pronunciaba el padre, así como el tener que responderle en latín. Quería entender lo que el padre decía y lo que yo le respondía. ¿Por qué tenía que aprender latín? Nadie hablaba latín, sólo los padres y sólo durante la Misa. Recuerdo haberle hecho esa pregunta al padre, y claro, me respondió que era necesario para ser padre y leer los textos religiosos originales. Los maestros curas no me enseñaron latín hasta mi último año de preparatoria, cuando ya era demasiado tarde

para que yo considerara el sacerdocio. Por otro lado, disfruté el desafío de aprender lo que mis otros maestros me enseñaban: ellos sabían mucho. Pero yo me quería casar algún día, tener una familia, y los sacerdotes no podían hacer eso.

Los sacerdotes en mi escuela pertenecían a una orden religiosa llamada la Sociedad de Jesús, o simplemente Jesuitas. Eran muy estrictos con los estudiantes para que estudiáramos y aprendiéramos. Los admiraba por ser tan estrictos y prácticos. Los jesuitas eran muy disciplinados. Me di cuenta que eran como yo. No me gustaba que la gente se quejara, lloriqueara, hiciera excusas, postergaran sus responsabilidades, flojearan o se dieran por vencidos. No había forma de que yo entendiera cómo podía seguir siendo disciplinado sin convertirme en un sacerdote jesuita pero seguía diciéndole a mis padres que no iba a ser sacerdote. Al final, Mamá se dio por vencida y sólo me pidió que terminara la preparatoria; lo hice y me gradué con honores. Los jesuitas me enseñaron a disfrutar del estudio. Seguí leyendo más y siendo ordenado con mis cosas y mi trabajo. La disciplina se convirtió en una característica dominante de mi personalidad.

Después de la preparatoria, mi padre me buscó un lugar para trabajar. Tenía un amigo, Félix Sepúlveda, que era dueño de dos negocios de abarrotes. Uno era la tienda y el otro la bodega desde donde vendía aba-

rrotes a las pequeñas tiendas de comida. Mi primer trabajo en la bodega fue descargar las carretas de comida en cajas y costales de yute, cajas de fruta y grandes piezas de carne que no se quedaban en la bodega por mucho tiempo. Odiaba descargar esas grandes piezas de carne o llevarlas a la tienda de Abarrotes Sepúlveda. La carne me dejaba los brazos, las manos y la ropa llenos de sangre. En unos cuantos días, aprendí a odiar el olor de la carne cruda. También tenía que barrer la bodega y recoger la basura para luego quemarla afuera. El quemar la basura se convirtió en el trabajo más odiado porque mi ropa, pelo y cuerpo olían a humo hasta que me bañaba. Odiaba tener que llevar puesta ropa con olor a humo por más de dos días, pero mi madre no podía lavarme la ropa todos los días. Después de casi seis meses, el señor Sepúlveda me movió de la bodega para trabajar rellenando los estantes dentro de la tienda y empacando las cajas de comida para la entrega a las pequeñas tiendas y los domicilios. Intenté trabajar en ambos lugares por unos cuantos años, pero no me gustaba ninguno de los dos.

Mis padres notaron esto y finalmente estuvieron de acuerdo en que yo no sería feliz hasta que me hiciera soldado como mi padre. Traté de enlistarme a la edad de diecisiete, pero no tuve éxito.

Recuerdo haber escrito todas mis peculiaridades. Mis anteojos tenían que estar limpios. Mi pelo tenía

que estar peinado correctamente. Caminaba con rapidez —tal vez no era una disciplina, pero el tener las piernas más cortas que Elodio significaba que tenía que caminar más rápido para no quedarme atrás. También aprendí a mirar a la gente a los ojos cuando les hablaba. Esto no les agradaba a los hombres mayores. Cuando era más joven y hacía eso, mi padre les explicaba a sus amigos que lo hacía porque no podía ver bien, que no era por falta de respeto ni para desafiarlos. ¿Por qué es que en la cultura mexicana debemos mirar hacia abajo para mostrar respeto y deferencia a las personas mayores? Para algunas personas, el mirar hacia abajo significa que tienes miedo o que estás escondiendo algo o que tienes vergüenza. Yo no sentía ninguna de esas cosas.

De hecho, mi padre dio esa explicación tantas veces que el mirar a la gente a los ojos se convirtió en una característica de mi personalidad. Cuando ascendí en mi carrera como soldado, esta distinción se convirtió en una buena destreza porque podía dominar a otros sólo con mirarlos a los ojos. Como yo era más joven y bajo en estatura que muchos soldados bajo mi mando, utilizaba esta característica para sentir confianza en mí mismo. Entre más subía de rango, de coronel hasta general, más mayores de edad eran los oficiales subordinados. Si no hubiera sido por mi reputación como un hombre fuerte con tantas victo-

rias bélicas y mi mirada seria, no me habría ganado el respeto de los hombres mayores.

Mi voz era otra cosa. No era grave o de barítono, como la de Elodio o la de Papá. Era más una voz suave y delicada. Mi voz hacía que los demás se sintieran cómodos y relajados. Podía proyectarla y hacerme escuchar por encima de otros. Esta habilidad me fue muy útil. Cuando estaba en una batalla y el estruendo dificultaba que los soldados oyeran mis órdenes, siempre lograba que me escucharan. Cuando el oficial Zaragoza gritaba sus órdenes, todos lo oían —y lo veían luchando al lado de ellos. Todos mis soldados y oficiales siempre dijeron que mi mejor cualidad de liderazgo era que yo luchaba al lado de mis hombres y mujeres. A veces iba montado sobre mi caballo y en otras marchaba a su lado, pero siempre al frente sin esconderme en la parte trasera como lo hacían muchos de los otros oficiales.

O tal vez esto tenía menos que ver con ser un soldado valiente o un líder talentoso, sino con ser una persona inteligente. Montado en mi caballo, yo era más grande y era un blanco fácil. Marchando a pie, yo sólo era un soldado raso y difícil de ser atacado. Además, yo era ágil. Me podía mover con rapidez. Tal vez el tener las piernas cortas no era tan malo, después de todo.

Yo no era el mejor en todas las cosas relacionados con los soldados, pero sí aprendí a superar y lidiar

con las dificultades que tenía. Además, yo siempre intentaba hacer lo que no podía una y otra vez hasta lograrlo, como lo había hecho con la honda y las agujetas de mis zapatos. El tener que usar anteojos era una deficiencia importante y seria para un soldado, especialmente para un comandante. Más de una vez perdí mis anteojos y tuve que aprender a siempre tener otro par listo para esas emergencias.

CAPÍTULO 12
Anteojos y muchachas

Con los anteojos, sin embargo, venían otras responsabilidades. Tenía que mantenerlos limpios, lo que no era tan fácil porque el calor que domina gran parte de México nos hacía transpirar mucho. El sudor me corría de la cabeza a los ojos y a los anteojos. Y no se podía limpiar el sudor de los ojos tan fácilmente si se usaba anteojos. También, cuando menos lo pensaba, el polvo que flotaba en todas partes de las calles terregosas y por los caballos que trotaban por encima de ellas no me permitía ver bien por mis anteojos. Yo siempre llevaba conmigo pedacitos de tela para limpiarlos. Más tarde, cuando mis padres se dieron cuenta de esto, me compraron pañuelos.

También tenía que cuidar que mis anteojos no se quebraran, doblaran o perdieran. No podía luchar con Elodio o cualquier otro muchacho a menos de que me quitara los anteojos. Luego no podía ver bien. Tenía que recordar dónde los ponía antes de dormirme. No

podía ponerlos debajo de mi almohada o cama; la mayoría de las veces dormía en el suelo en un petate o en un catre pequeño. Más tarde, como soldado, mi problema se agravó cuando mi mamá no estaba allí para darme los pedacitos de tela, pañuelos o hasta agua limpia para lavar los trapos, los pañuelos y los anteojos. El agua que teníamos estaba sucia. Si la usaba para lavar mis anteojos, estos quedaban llenos de mugre.

Cuando crecí más, ordené anteojos con marcos de varillas más largas que afirmaba detrás de mis orejas para asegurarme que no se cayeran. Una vez, cuando iba galopando en mi caballo a toda velocidad, se me cayeron los anteojos a pesar de las varillas largas. Me tomó más de una hora retroceder y una más el buscarlos de rodillas por todo el suelo. No los encontré. Desde ese momento, siempre compré dos pares a la vez para así tener un repuesto si los perdía o los quebraba.

Perdí otro par una vez cuando una bala de cañón me tiró del caballo. El impulso hizo que mi cuerpo saliera para un lado y mis anteojos para otro. Ni siquiera pensé en buscarlos en medio de la batalla. Sólo busqué la forma de escaparme del peligro tan pronto como pude. No podía ver a nadie ni nada, sólo veía imágenes borrosas. Por suerte gateé hacia la dirección correcta y unos soldados me agarraron por los brazos y me llevaron a un lugar seguro. Ese fue el

día en que empecé a sujetarme las varillas de los anteojos detrás de la cabeza con un pedazo de cuerda. A
veces se me trepaban por la nariz o se movían para un
lado de la cara, pero nunca se me volvieron a caer.

Cuando era pequeño, mi madre sospechaba que,
además de ser miope, yo fuera daltónico. Cuando
entrábamos al mercado yo no podía distinguir los colores. Ella me regañaba una y otra vez por cosechar hier-
bas malas del huerto en vez de los vegetales. Cuando
era adolescente y caminaba por la plaza con Mamá y
Elodio los domingos, se me dificultaba identificar los
colores de los vestidos y los listones que usaban las
niñas. Mientras que Elodio comentaba o preguntaba
algo sobre una niña con un vestido azul o la del listón
verde en el pelo o la del suéter rosado, yo me sentía
perdido. Le preguntaba si estaba hablando de la alta o
la baja, la gorda o la flaca o la de pelo corto o largo.

Cuando era pequeño, la ropa que llevaba no
importaba tanto porque usaba lo que le quedaba chico
a mi hermano mayor. Por muchos años, él tenía que
decirme cuál camisa ponerme con cuáles pantalones.
Me memoricé esas sugerencias. Pero cuando empecé
a mirar a las niñas en la plaza, los colores me presen-
taron un desafío. No había anteojos para curar el dal-
tonismo. Mi madre no estaba segura cuál era mi problema, pero cuando me preguntaba si algo era rojo,
café o azul, yo siempre encontraba el color correcto
entre mis lápices de colores. Porque bueno, ¡sabía

leer! Los nombres estaban escritos en los lápices. Quizás yo también aprendí a asociar los tonos de los colores con lo que los lápices de colores decían. Si oía que la gente decía que algo era rojo, azul u cualquier otro color, lo recordaba. Era inteligente y aprendía con rapidez. También yo era especialmente bueno para adaptarme a las nuevas circunstancias. A veces quedaba un poco confundido pero siempre llegaba a la conclusión correcta.

Mi madre decía que el asunto del color era un problema grande para mí y para mis amigos porque ellos escogían a las niñas a través de los colores, al decir que la niña del vestido rosado o la del morado, mientras que yo seguía preguntado si era la de la izquierda o de la derecha, la gordita, la alta, la bajita, la mediana ¿o cuál? El resultado, me quejaba con mi madre, era que mis amigos se iban directamente hacia las chicas que identificaban. Yo siempre me quedaba con la que nadie elegía.

CAPÍTULO 13

Los Estados Unidos le declaran la guerra a México

Poco después de que terminé la preparatoria, mi padre fue transferido a Zacatecas, en marzo de 1846. Al siguiente mes fue citado en Monterrey porque los Estados Unidos habían invadido México. Santa Anna, a quien mi padre odiaba, había regresado como comandante de todas las tropas mexicanas. Como siempre, actuando como un tramposo, traicionero, ambicioso y ego maníaco, en unos cuantos días se volteó en contra del presidente de México, Valentín Gómez Farías, y se proclamó presidente de México y general de todas las tropas.

Una vez en el poder y sin oposición de nadie, Santa Anna mandó a los soldados mexicanos a detener al ejército estadounidense para que no cruzara el Río Nueces y entrara a México. Las tropas mexicanas, sin embargo, llegaron tarde y se enfrentaron a las tropas estadounidenses en el Río Grande, por Mata-

moros. De repente, el gobierno de los Estados Unidos insistía que el Río Grade era la frontera y no el Río Nueces. Esto sucedió después que los Estados Unidos había anexado a Texas como un estado de la Unión y había ofrecido comprar Nuevo México y California. México rechazó la oferta del presidente James K. Polk. Así es que el presidente estadounidense se declaró en guerra contra México bajo el pretexto de que unos soldados habían matado a los soldados estadounidenses cuando entraron sin permiso a México. El 13 de mayo de 1846, el congreso de los Estados Unidos siguió el liderazgo de Polk y oficialmente declaró la guerra.

De hecho, el ejército de los Estados Unidos había cruzado la frontera de México en marzo de 1846 y se había enfrentado con las tropas mexicanas en las batallas de Palo Alto y la Resaca en el Río Grande el 8 y 9 de mayo. Todas las tropas mexicanas salieron de Matamoros a Monterrey cuando oyeron que el ejército de los Estados Unidos venía marchando hacia ellos. Por cierto, las fuerzas del general estadounidense Zachary Taylor llegaron y tomaron control de la ciudad de Matamoros sin tirar un disparo. Después de descansar dos días, las tropas estadounidenses empezaron la larga marcha hacia Monterrey. La Batalla de Monterrey se llevó a cabo del 21 al 24 de septiembre. Estaban peleando en todo nuestro alrededor. Papá se había marchado durante esta pelea, y no teníamos

idea de dónde estaba. Los generales Pedro de Ampudia y Tomás Requeña estaban al mando de las tropas mexicanas que defendían la ciudad. Juntos contaban con aproximadamente 7,303 soldados. El general Taylor, por otro lado, tenía 6,640 hombres bajo su mando y otros 210 Rangers tejanos. Las tropas de los Estados Unidos llegaron a las afueras de Monterrey la mañana del 19 de septiembre. En vez de entrar agresivamente a la ciudad, el general Taylor decidió que atacaría por el este y el oeste.

Santa Anna, mientras tanto, ordenó que los soldados de Monterrey evacuaran la ciudad y se dirigieran hacia Saltillo, porque se consideraba mejor terreno para la batalla. La distancia entre Saltillo y Matamoros es larga, y a los Estados Unidos se les dificultaría proveer a sus tropas con los abastecimientos necesarios de comida, agua, municiones y caballos descansados, entre otras cosas.

El general Ampudia desobedeció la orden de Santa Anna y se enfrentó a las tropas estadounidenses en ambos lados de Monterrey. Las fuerzas estadounidenses sobrepasaron las defensas mexicanas en el oeste, y los soldados mexicanos se tuvieron que reagrupar en el este, básicamente entregando el oeste de Monterrey al ejército invasor. Para el 23 de septiembre, la lucha entre los mexicanos y los invasores se convirtió en un combate de un tono determinado, una lucha de mano a mano con bayonetas y pistolas. Las

tropas de los Estados Unidos utilizaron morteros, pequeños cañones que podían lanzar balas de cañón a grandes distancias, algo que los mexicanos no tenían. Estos morteros destruyeron y mataron a muchos soldados mexicanos y a civiles. El general Ampudia se rindió el 24 de septiembre y se le permitió salir de la ciudad hacia San Luis Potosí con sus soldados heridos y con sus propias armas.

CAPÍTULO 14

La mitad de México pasa a ser parte de los Estados Unidos

En nuestro querido Monterrey, las tropas de los Estados Unidos y los Rangers tejanos arrasaron con la ciudad, matando civiles a sangre fría y abusando de mujeres y niñas adolescentes. Vimos esto con nuestros propios ojos, y mi madre hasta leyó en el *Houston Telegraph* y en el *Register* del 4 de enero de 1847 sobre la extensión de la masacre.

Mi madre y yo leímos y discutimos otra historia sorprendente, la de los soldados estadounidenses que eran parte de la Brigada de San Patricio, conocidos como los San Patricios. Estos eran inmigrantes irlandeses que habían sido forzados a estar en el ejército de los Estados Unidos para obtener su ciudadanía. Eran católicos devotos que habían sido enviados a luchar contra México y decidieron que no querían matar a otros cristianos; no veían a los mexicanos como enemigos. Lo que leímos después fue sorpren-

dente: los San Patricios habían cambiado de bando y se habían unido al ejército mexicano. Cuando las tropas de los Estados Unidos tomaron control de Monterrey, entre las primeras personas que capturaron y colgaron estaban los soldados San Patricio. El ejército de los Estados Unidos los consideraba desertores y traidores. Algunos lograron escapar ese destino y empezar familias en México. Muchos de los mexicanos de ojos verdes, pelirrojos y con pecas tienen estos ancestros en su genealogía.

El ejército de los Estados Unidos marchó hacia a la capital, a la ciudad de México, al sur de Monterrey. Las fuerzas del general Winfield Scott llegaron a la ciudad por Puebla. Santa Anna envió al general Nicolás Bravo con 1,000 soldados para hacer una barrera en el suroeste, mientras que los 15,000 soldados de Santa Anna se enfrentaron en el este. Pero el general Scott no entró por el este; al contrario, fue alrededor y atacó al pequeño ejército de Bravo debajo del Castillo de Chapultepec en la Ciudad de México. Las tropas del general Bravo estaban en los cerros alrededor del castillo, donde había 50 cadetes jóvenes defendiendo lo que era una academia militar. El general Scott mandó dos divisiones de hombres; una entró por el sur por una arboleda al pie del castillo y la otra por el oeste. Bravo separó a sus hombres en dos unidades para defender el castillo. Al final, todo fue demasiado poco y demasiado tarde. Las tropas de los

Estados Unidos perdieron 130 hombres, 703 fueron heridos y 29 desaparecieron, mientras que los mexicanos tuvieron por lo menos 1,000 muertos, heridos o capturados.

Mientras tanto, Santa Anna, al ver que todo estaba perdido, huyó de la ciudad con lo que quedaba de sus tropas. Se escapó solo por el puerto de Veracruz y eventualmente terminó en Jamaica y más tarde en Colombia. Había perdido a seis de sus generales, los cuales habían sido capturados. El general Scott marchó al centro de la Ciudad de México hacia el Palacio Nacional, la silla del gobierno, y allí recibió a la delegación mexicana que finalmente se entregó. La bandera de los Estados Unidos ondeó sobre la Ciudad de México por unos cuantos días hasta que las negociaciones para una paz permanente se llevaron a cabo. El Tratado de Guadalupe Hidalgo, que todos firmaron, le cedió a los Estados Unidos el territorio que se convertirían en los estados de California, Nevada, Colorado, Nuevo México, Arizona y partes de Utah, Wyoming y Oregón, además de una pequeña parte de Texas entre el Río Grande y el Río Nueces. Este estrecho de tierra fue lo que había iniciado la Guerra México-Estados Unidos. El tratado se firmó el 2 de febrero de 1848 y entró en efecto el 4 de julio de 1848.

Unos cuantos meses después, mi padre, para sorpresa de todos, llegó a casa en su caballo. Dijo que había escapado del peligro al no quedarse en un lugar

por mucho tiempo, evitando las tropas de los Estados Unidos hasta que supo que la guerra había terminado. Mi madre estaba fuera de sí al ver al amor de su vida bajarse del caballo frente a nuestra casa. Le dijo que estaba tan delgado como un esqueleto y por eso le preparó toda la comida que le gustaba comer durante las siguientes semanas hasta que los brazos no le alcanzaban para abrazarlo.

CAPÍTULO 15

Un nacimiento y una muerte

Mi madre dio a luz a su último hijo en 1845. El bebé fue una sorpresa, ya que mi madre no esperaba tener más hijos. Lo nombraron José María de Jesús Zaragoza Seguín. Apenas tenía seis años cuando murió nuestro padre el 11 de junio de 1861. Toda la familia se entregó al luto.

Mi padre no había estado enfermo. Un día se desplomó en la guarnición. Tenía mucha calentura y fuertes dolores de cabeza. En casa tuvo ataques de diarrea. Falleció en unos cuantos días. El asesino sospechoso era la fiebre de tifoidea. No se había quejado, aún cuando empezó a mostrar síntomas. Mi padre nunca se quejaba. Es probable que aprendí eso de él.

Después del sepelio, sus compañeros nos entregaron las pertenencias que tenía en su oficina: medallas, placas, banderas, recortes de periódicos y armas. También nos entregaron su bello semental negro, el cual pasó a manos de Elodio. El viejo caballo aún era

grande y extraordinariamente fuerte a pesar de su edad. Era un animal hermoso, con unas patas musculosas y un pecho ancho. Su crin y cola eran de color negro azabache, casi como la seda. El caballo se llamaba Macho. Supongo que mi padre le puso ese nombre porque ya era un caballo maduro cuando lo recibió. Macho no tuvo ningún problema para adaptarse a Elodio y a mí. Era como si supiera que Papá ya no estaba, que nosotros lo montaríamos. Macho tenía la costumbre de acercarse a cualquier persona para olerlos. Era como si el olfato le indicara en quién podía confiar.

Elodio y yo estábamos lo suficientemente grandes para usar la montura de mi padre y podíamos poner los pies en los estribos. Elodio me enseñó a montar a Macho, a ensillarlo y a ajustar los estribos y las riendas. Mi hermano me enseñó tan bien que pronto empecé a pensar en comprarme mi propio caballo. Mi madre estuvo de acuerdo siempre y cuando encontrara la forma de ponerlo en un establo y comprarle comida. El señor Sepúlveda de la tienda de abarrotes dijo que él me ayudaría con el establo y que me dejaría alimentar el caballo en su lugar.

Compré una yegua joven que no era tan grande como Macho. La podía montar con más facilidad. Ella no me hacía saltar tanto como Macho cuando trotaba o galopaba. La nombré Tencha, el apodo común para el nombre de Hortensia. Nadie sabía de

dónde había sacado ese nombre. Tampoco se los voy a decir aunque pueden suponer que era el nombre de una de mis compañeras de escuela, o porque me gustaba el nombre. De hecho, era el nombre de una niña que me gustaba pero que no me correspondía.

En 1853, cuando cumplí los 24 años de edad, me enlisté en el ejército mexicano. Finalmente me aceptaron. El señor Sepúlveda me compró mi yegua y le di el dinero a mi madre, junto con la montura, las cobijas y la brida. Le dije a mis hermanas que ellas los podrían usar cuando crecieran si decidían aprender a montar y si Mamá se los permitía. Yo no conocía a muchas mujeres que montaran a caballo; la mayoría paseaba en los carruajes y en las carretas jaladas por caballos y mulas.

Después de unas cuantas semanas de entrenamiento, me mandaron a San Luis Potosí para unirme a las tropas del general y presidente Antonio López de Santa Anna. Mi madre estaba furiosa de que uno de sus hijos mayores estuviera yendo a pelear con el hombre que ella y mi padre habían odiado tanto. Mi padre probablemente se estaba dando vueltas en su tumba. En abril de 1853, Santa Anna había vuelto a México después de un exilio en Colombia. Volvió a ser presidente y sirvió hasta 1855. El general Santa Anna fue presidente y dictador de México once veces. Murió de vejez en la Ciudad de México a los 82.

CAPÍTULO 16
Enamorarse

Una vez que estaba con licencia de mi guarnición, vine a Monterrey para visitar a mi familia. Les conté que me habían dado un ascenso de sargento a capitán. En ese momento yo era el capitán más joven. Les tenía una sorpresa a todos. Les conté que había visto y conocido a la niña más linda durante mi faena. Era la hermana de mi mejor amigo, Marcelino Padilla, quien estaba en el ejército conmigo. Quedé loco de amor cuando la vi por primera vez.

Yo quería casarme. Mi familia trataba de disuadirme, diciéndome que estaba demasiado joven, que necesitaba más tiempo, pero no les puse atención. Estaba preocupado de que si me tomara mucho tiempo, alguien más podría pretenderla y casarse con ella. Yo era muy decidido y perseguía lo que quería, sin importar lo que dijeran los demás.

Desde ese día en adelante, sólo hablaba de Rafaela Padilla. Convencí a Marcelino de que mis intencio-

nes eran buenas y honestas, y él me dio su aprobación. Enseguida le pedí un consejo a mi madre sobre cómo acércame a la madre de Rafaela para pedirle permiso para cortejarla. Mamá me dijo que hablara con su padre, pero Rafaela no tenía padre. Éste había fallecido cuando ella era pequeña. Luego me sugirió que hablara con mi antiguo jefe, el señor Sepúlveda, para saber qué hacer. El señor Sepúlveda generosamente aceptó el rol de padrino, y me acompañó para ir a hablar con la señora Padilla de la Garza. En la residencia de los Padilla, el señor Sepúlveda le pidió permiso a la señora Padilla para que me dejara cortejar a Rafaela. Marcelino le había asegurado a la madre que yo era un buen hombre y que, como colega, él podía dar fe de mi carácter. La señora Padilla me permitió visitar a su hija de vez en cuando, pero siempre en su casa. Después de eso, yo, Capitán Ignacio Zaragoza, el futuro yerno, la acompañaba de la casa a la plaza. Hasta me permitieron ir a la iglesia los domingos con ella y con su madre.

Mi propia madre se quejó diciendo que era como cuando me había ido de casa para la guarnición. Ya casi no me veía. Cada vez que tenía tiempo libre me iba directamente a la residencia de los Padilla, ni siquiera paraba en casa para decirles que estaba en el pueblo. Mi familia se quejaba de esto constantemente.

A mi novia, Rafaela Padilla de la Garza, no le gustaba que yo fuera soldado. Ni siquiera que fuera ofi-

cial. Ella quería que nos casáramos y que me quedara en Monterrey, que no sólo fuera a casa de forma temporaria. La madre de Rafaela le dijo que si decidía casarse conmigo que se acostumbrara a las largas ausencias porque yo era soldado. Los soldados no pueden hacer lo que les dé la gana. Ellos hacen lo que se les ordena. Ellos están primero y principalmente casados con el ejército.

Cuando estaba cortejando a Rafaela, mi coronel comandante, Santiago Vidaurri, ordenó que me fuera a Ciudad Victoria para enfrentar a los soldados de Santa Anna. Vidaurri estaba en contra del retorno de Santa Anna, quien tenía planeado volver a liderar el gobierno mexicano y promover su agenda conservadora. Santa Anna ya había perdido el territorio de Texas y la mitad de México en 1848; no se debía confiar en él para liderar la nación. En este momento, todos los Zaragoza y el coronel Vidaurri estaban del lado de los liberales que se oponían a Santa Anna. Yo luché contra los soldados de Santa Anna en la Batalla de Saltillo el 23 de julio de 1855. Santiago Vidaurri me otorgó el mismo rango que él, coronel, por esa victoria. Fue durante las batallas en contra de Santa Anna y otros conservadores que volví a casa para visitar a Rafaela y a mi familia. Estas visitas eran pocas, y ella sabía muy bien lo que su vida sería a mi lado como la esposa de un soldado. El viaje a caballo entre mi guarnición y Monterrey era muy largo y yo

no podía llegar tarde a la base militar así es que tendríamos que vivir separados.

Durante uno de esos viajes a casa, llevé a Rafaela
a un baile y le pedí matrimonio. Ella aceptó sin repa-
ros pero insistió en que siguiera la tradición y proto-
colo mexicanos de pedirle la mano a su madre. Otra
vez tuve que acudir al señor Sepúlveda para que me
acompañara a la residencia de los Padilla. Cuando
acordamos los permisos, escogimos el 21 de enero de
1857 para nuestra boda.

Rafaela Padilla se convirtió en mi esposa y la
madre de mis futuros hijos.

CAPÍTULO 17
General Ignacio Zaragoza Seguín

Lo que había previsto la señora Padilla de la Garza se convirtió en realidad. Yo no pude ir a casa para casarme con Rafaela en enero, como habíamos acordado porque me enviaron a San Luis Potosí para aplacar una insurrección local liderada por un antiguo coronel. El general Vidaurri creía que esa rebelión era una amenaza para los territorios bajo su mando. Me envió a mí aunque yo tenía planeado mi matrimonio. Mi hermano Elodio tuvo que presentarse en mi nombre durante la ceremonia.

La ceremonia fue una vergüenza y humillación para Rafaela. El sacerdote, Darío de Jesús Suárez, erróneamente seguía preguntándole si ella aceptaba casarse con Elodio, y lo tuvieron que corregir dos veces. Para cuando por fin se hicieron los votos matrimoniales correctamente, Rafaela estaba llorando. Esta ausencia en un momento importante de su vida fue como empezó mi vida con Rafaela. Creo que

ella le tenía rencor a la vida militar que vivíamos porque con frecuencia hacía comentarios como "Ni
siquiera estuviste en tu boda".

Yo era un buen soldado y ascendí al rango de coronel después de ganar muchas batallas. Siempre estaba
peleando, primero para Santa Anna, luego para Benito
Juárez cuando estaba tratando de hacer cambios en el
gobierno. Sobre todo peleaba en contra del emperador
francés Napoleón III quien estaba obsesionado en
colectar dinero que se debía a los franceses por los ser-
vicios y bienes prestados a México en el pasado. Una
de las deudas era por unos pasteles, y esto fue motivo
para la llamada Guerra de los Pasteles.

Benito Juárez había sido gobernador de su estado,
Oaxaca, y líder de la Corte Suprema Mexicana. En
1853, cuando la facción conservadora tomó control
del gobierno, lo forzaron a exiliarse en Nuevo Orleáns. Elodio también se fue de casa y viajó hacia Texas
para luchar por Benito Juárez en contra de Santa
Anna. Desde ese momento se le destrozó el corazón
a mi mamá y nunca volvió a saber más de Elodio.

Como coronel lideré las tropas en varias batallas
sangrientas y decisivas en Silao y Guadalajara.
Durante esos años visitaba a mi esposa cuando podía,
lo cual nunca era suficiente para Rafaela. Estábamos
empezando a hacer familia y ella quería que me quedara en casa.

En 1855, disminuyó el peligro, y Benito Juárez pudo regresar a México después de su estancia en Nuevo Orleáns. Empezó a organizar a sus seguidores, estaba resuelto a ser presidente de México. Pero en 1857 México estaba atrapado en una guerra civil entre liberales y conservadores. Peleé para el partido liberal del norte bajo el mando del general Santiago Vidaurri. Durante la Batalla de Silao, muchos de nuestros jefes comandantes murieron. Me ascendieron a general bajo el mando del general Santos Delgado, y me convertí en el general más joven de México.

En los próximos años participé en una batalla tras otra tratando de derrotar de una vez por todas las fuerzas conservadoras que intentaban tomar control de todo México. El 31 de octubre de 1860, entré a Guadalajara. Después de esta batalla, la última resistencia de los conservadores estuvo en la Ciudad de México donde apoyaban al presidente interino José Pavón. A principios de enero de 1861, me preparé para derrotar a los conservadores y tomar control de la Ciudad de México. Cuando se ejecutó mi plan, no perdí tiempo en implementar un ataque sorpresa a las tropas de Pavón en varios frentes. En una última batalla en San Miguelito en las afueras de la Ciudad de México, mis tropas prevalecieron sobre los conservadores. Mi general comandante, Jesús Gonzales Ortega, me pidió que fuera a Veracruz para escoltar al Presidente Benito Juárez de vuelta a la Ciudad de México. Ense-

guida pidieron que se escribiera un acuerdo de paz y que éste fuera firmado por los conservadores. Imponiendo gran riesgo para mis soldados y yo, preparé un acuerdo que nos favorecería a nosotros. Con una sola escolta entré al campo enemigo y acordé un pacto de paz. Los conservadores entregaron la Ciudad de México en la Navidad, el día 25 de diciembre de 1861.

Unas semanas después, el 7 de enero de 1862, Benito Juárez entró a la Ciudad de México con su ejército liberal y asumió la presidencia.

CAPÍTULO 18
La invasión francesa

En 1861, España, Inglaterra y Francia tenían planes de invadir México. Reclamaban que México les debía dinero. Los tres países se habían reunido en octubre de 1861 en Londres y firmado un pacto, la Convención de Londres, para que juntos colectaran la deuda de México. Francia decía que se le debían dos millones de dólares, España reclamaba que se le debían $9.5 millones e Inglaterra $70, con la deuda más grande. Los Estados Unidos de América en 1820 habían dicho que ningún país europeo podría venir y hacer problemas en ninguna parte de las Américas. Esto se llamó la Doctrina Monroe en nombre de su autor, el presidente James Monroe. Aunque los Estados Unidos quisieran ayudar, no pudieron porque estaban en una guerra civil, el Norte contra el Sur. México también le debía dinero a los Estados Unidos, aproximadamente $9 millones de dólares. Estas "deudas" no representaban dinero que le habían prestado al gobierno mexica-

no, sino dinero prestado a algunos de sus ciudadanos, inclusive hasta generales, entre ellos Santa Anna. Los franceses también reclamaban dinero por daños a sus ciudadanos cuando estaban haciendo negocios o por propiedades mexicanas que habían sido confiscadas por alguna persona durante las batallas entres los liberales y conservadores.

En diciembre de 1861, los soldados españoles desembarcaron en Veracruz bajo el mando del general Octaviano Prim. Habían llegado para cobrar el dinero de los impuestos que pagaban los barcos que llegaban al puerto con mercancía para México. Napoleón Bonaparte III era el nuevo gobernante de Francia y de casi toda Europa. También quería conquistar México y estaba usando el pretexto de la deuda para mandar a sus tropas. El 8 de enero de 1862, los franceses llegaron a Veracruz. Juntos, los españoles y los ingleses decidieron no pelearse entre ellos por el control de México y dejaron que los franceses lo hicieran solos.

El Presidente Benito Juárez, agradecido por mis intervenciones militares que le permitieron regresar al gobierno, me invitó a ser su Ministro de Guerra y Marina. Acepté, y por primera vez en mucho tiempo, trabajé en una oficina en la Ciudad de México y no como soldado. Rafaela estaba muy contenta con la noticia. Nuestra familia tomó el próximo tren de Monterrey a la Ciudad de México. Los encontré en la estación de trenes. Estábamos increíblemente felices por-

que yo podría estar más tiempo en casa con mi esposa y mis hijitos. Esto era algo nuevo para mí porque no había pasado mucho tiempo con mi esposa y mis hijos hasta ahora. Mis hijos no me conocían bien. Después de que nos acostumbramos los unos a los otros y disfrutamos de muchos momentos felices, especialmente con comidas echas en casa y el cariño de mi esposa y eventualmente mis hijos, agregamos un miembro más a nuestra familia. Mi madre, María de Jesús, eventualmente se vino a vivir con nosotros; ella también se sentía sola y sin familia desde que murió mi padre. Esta familia feliz, sin embargo, no duró mucho.

Cuatro días después de que el Presidente Juárez supo que los soldados españoles habían llegado a Veracruz, me pidió que dejara mi puesto como ministro y sirviera como general a cargo del ejército y la naval para defender a México. Supe inmediatamente que esta misión estaba destinada al desastre. Se creía que el ejército francés era el mejor del mundo. Tenían muchísimos soldados bien entrenados y con experiencia. Tenían las mejores armas y muchos cañones. Tenían muchos caballos y suficiente abastecimiento para mantener a los soldados alimentados y felices.

Yo era un ávido lector de libros de historia y sabía cómo leer mapas para identificar ríos, montañas, valles, cerros, collados, barrancos y desiertos. Era por eso que conocía el camino que los franceses tendrían que tomar para llegar a la Ciudad de México. Inevita-

blemente pasarían por Puebla para llegar a nuestra capital. Antes de irse de Puebla, en el Ministerio de Guerra y Marina estudié y aprendí cómo es que otros habían conquistado México. Descubrí que en 1519 Hernán Cortés llegó a Veracruz con 500 hombres. Tuvo que escalar las montañas de Orizaba, bajar por el collado del Valle de México y pasar por Puebla para llegar a la Ciudad de México. Eran 400 millas de distancia. En 1846, los Estados Unidos de América inició la guerra con México. El general Winfield Scott llegó con 10,000 hombres a Veracruz el 9 de marzo de 1847 y entró a Orizaba y bajó a Puebla antes de tomar control de la Ciudad de México el 14 de septiembre del mismo año.

Así es que, ya yo sabía que los franceses tomarían la misma ruta para llegar a Puebla y luego a la Ciudad de México.

Al llegar a las afueras de Puebla vi los grandes fuertes en la periferia de la ciudad. Los fuertes estaban uno frente al otro sobre un cerro con la carretera hacia Puebla entre ellos. Decidí irme por el camino más alto para ganar ventaja. Había hecho lo mismo en mi última batalla para Benito Juárez a principios de septiembre cuando defendí las cerros de San Miguelito en las afueras de la Ciudad de México. Así fue como había ganado. Aprendí la ventaja de dispararle al enemigo desde arriba, especialmente cuando ellos están disparando desde las trincheras. Supe que los

cañones pueden disparar más lejos cuando lo hacen cuesta abajo. No era lo mismo para los cañones franceses que les dispararían a mis soldados cuesta arriba. Me di cuenta que esos cañones usaban balas de cañón explosivas; el ejército mexicano tenía pocas y pedí más, y algunas ya me habían llegado.

Lo primero que hice fue ordenar que mis soldados y voluntarios cavaran trincheras entre los dos fuertes, Loreto y Guadalupe, en las afueras de Puebla. De esa forma, para poder entrar a la ciudad, los franceses tendrían que enfrentar a los hombres que les estarían disparando desde las trincheras. Mis otros hombres les dispararían desde los fuertes. También sabía que llovía mucho casi todas las tardes de primavera en el Valle de México. Mientras había estado en la Ciudad de México, mi familia y yo habíamos sido sorprendidos varias veces por esas lluvias predecibles de la tarde. Con esa experiencia aprendí mientras caminaba con los niños y Rafaela por el parque central, La Alameda, que las nubes que entraban por el Golfo de México al este tenían que soltar toda su condensación mientras avanzaban sobre las montañas que rodeaban la Ciudad de México. Me preguntaba: ¿Cuándo empezará a llover en Puebla? ¿Por cuánto tiempo? ¿Y cuánto?

Les ordené a mis soldados que se aseguraran de que todos ellos, los voluntarios y las soldaderas (las mujeres que peleaban a nuestro lado), juntaran rocas para ponerlas enfrente de las trincheras que estaban

cavando. Todos los que tenían armas tenían que asegurarse de que la pólvora y las balas de plomo no se mojaran. Tuvieron que hacer sacos que metieron dentro de otros sacos para mantener la munición seca. Tuvieron que cavar trincheras con pendientes lo suficientemente profundas para que no los vieran cuando tuvieran que volver a cargar sus mosquetes con la pólvora. Tendrían que poder pararse derechitos en la parte del frente de la pendiente sin que los vieran. Y tendrían que afirmar sus mosquetes sobre una superficie sólida como las rocas que les pedí que colocaran en las trincheras y no sobre el lodo, para poder disparar con tino y sin desperdiciar plomo al no darle al blanco.

Les pedí a mis oficiales que les dijeran a sus soldados con mosquete que esperaran a que los soldados franceses intentaran escalar la colina y que sólo les dispararan cuando estuvieran cerca. Los mosquetes franceses podrían alcanzar con más facilidad a un soldado mexicano que los mosquetes mexicanos a los soldados franceses, aunque ellos estuvieran disparando mientras escalaban la montaña lodosa. "No disparen hasta estar seguros de que le darán al tino", fue mi mantra.

Lo segundo que les inculqué a mis oficiales para que compartieran con los soldados y soldaderas era que iba a llover. Les prometí que llovería. Nuestras tropas me escucharon a mí y a mis oficiales; confiaron en nosotros. Creyeron en mí. Mis tropas final-

mente estaban listas. Esperábamos la llegada de los franceses y de la lluvia.

Sabía que los soldados franceses eran superiores a los nuestros. Sabía que no teníamos la cantidad de armas y cañones que los franceses tenían. También sabía que muchas personas en mi tropa no estaban entrenadas como soldados, que eran voluntarios. Las mejores voluntarias eran las soldaderas, quienes viajaban al lado de los soldados. Ellas compartían el espíritu de lucha.

La mayoría de las mujeres no disparaban mosquetes, no eran soldados, pero algunas sí lo hacían cuando recogían uno del lado del cadáver de un soldado. Principalmente se encargaban de cuidar a los soldados heridos y de los caballos. Eran enfermeras. También traían provisiones consigo. Cuando los soldados estaban peleando, nadie tenía tiempo para cocinar, ir por un vaso de agua o dormir. Las soldaderas hacían todo el trabajo de apoyo para mis soldados. Ellas me estimaban porque yo casi siempre ganaba mis batallas y no perdía hombres. Mis soldados eran sus maridos, novios, hermanos, padres, hasta abuelos e hijos.

Los franceses nos sobrellevaban en número. Los pocos voluntarios que estaban llegando a Puebla tampoco tenían entrenamiento ni armas. Cuando la gente alrededor de la Ciudad de México, Monterrey, Matamoros, San Luis Potosí, Zacatecas y Guadalajara supo que yo estaba entrando a Puebla para defender a

México de los franceses, atravesaron el país para unirse a nuestros esfuerzos en Puebla. Las tropas empezaron a crecer con tantos voluntarios. Yo deseaba tener más armas, balas de plomo y pólvora porque la gente que llegaba traía machetes, lanzas, arcos y flechas, azadones y bolsas llenas de piedras.

Yo no tenía muchas municiones, sólo un par de cañones y morteros, y no había suficiente comida para todos los soldados y muchos menos para los voluntarios. Sólo teníamos lo que algunas mujeres habían traído al campo de batalla para alimentar a sus propios hombres. Sí tenía unos cuantos soldados con experiencia, Porfirio Díaz y Juan Nepomuceno Cortina, quienes también eran de Matamoros.

El emperador Napoleón Bonaparte III mandó a su mejor general, Charles Ferdinand Letrille, Comte Du Lorencez, con 6,000 hombres a México. Tenían bastantes armas de mano, cañones, caballos y mulas, barriles con pólvora, abastecimientos y telescopios para espiar los movimientos de mi tropa. Du Lorencez estaba seguro que me destruiría y tomaría control de Puebla en menos de uno o dos días. Ya se veía a sí mismo mirando el Valle de México desde las torres del Fuerte de Loreto.

El general francés Du Lorencez empezó a perder hombres cuando a diario se enfermaron de tifoidea durante el largo viaje de 400 millas hacia Puebla. Sus hombres se habían empezado a enfermar casi desde el

momento en que desembarcaron en Veracruz. La tifoidea puede matar a una persona con la fiebre y la deshidratación. Es fatal. La infección de la tifoidea viene del contacto con el agua sucia, especialmente por las manos. Si el agua o las manos sucias se mezclan con deshechos humanos, es muy probable que las personas se contagien. Muchos soldados franceses murieron en el camino porque no se lavaban las manos y porque tomaban agua sucia.

Lamentablemente, mi esposa Rafaela y mis dos hijos murieron de tifoidea antes de la Batalla de Puebla. Mi primogénito, Ignacio, nació en Monterrey en marzo de 1858. Mi segundo hijo, también llamado Ignacio, pero Estanislao como segundo nombre, murió poco después cuando me mandaron a pelear contra los franceses. Me pesaba mucho mi pérdida porque no podía estar allí para consolar a mi esposa y juntos llorar esas muertes antes de que ella muriera.

El presidente Juárez me ordenó que volviera a Puebla tres días antes de la Nochebuena. No tenía idea que estaría abrazando y besando a mi esposa por última vez, que no la volvería a ver nunca más.

Quedé destrozado cuando recibí el telegrama con las malas noticias sobre estas muertes en mi familia. Con el corazón destrozado, sin embargo, tenía que defender a mi país y no podía volver a casa a sepultarlos a ella y a mis hijos. No obstante, logré dejar de lado mis sentimientos y prepararme para la batalla de mi vida.

CAPÍTULO 19
Empieza la batalla

Lo primero que aprendí de los espías en Veracruz fue que los soldados españoles e ingleses habían dejado el puerto para regresar a sus países. Esas eran noticias maravillosas. Ahora sólo tenía que lidiar con los franceses. Lo segundo que descubrí fue que éstos habían tomado la misma ruta que Hernán Cortés tomó en 1519. Por supuesto que lo harían; no había otra forma de llegar a Puebla a menos de que tomaran una ruta más larga que ocupara más tiempo, más abastecimientos y los expusieran más a la tifoidea.

También desarrollé un segundo plan, atacarlos en el trayecto de las 400 millas. Cuando las defensas quedaron en su lugar en Puebla, salí con algunos soldados, toda la caballería, para enfrentar a los franceses en Acultzingo cerca de Orizaba. Quería que mis hombres atacaran y corrieran, que no sufriéramos muchas bajas. Nosotros conocíamos el terreno y los franceses no.

El pueblo de Orizaba está localizado en el collado de las montañas y cualquier persona que quiera llegar a Puebla tiene que atravesar el único pase que hay. Yo quería ver cuántos soldados había en las tropas francesas. Los soldados franceses tenían mejores armas que los mexicanos, pero ¿qué tan buenas eran? Los mosquetes disparaban balas de acero a una distancia más larga que la de los mexicanos, ¿pero qué tan lejos? Quería ver con mis propios ojos cuánto aguantaban esos soldados franceses cuando eran atacados. Quería que mis soldados volvieran y le dijeran a los demás lo que habían aprendido y del éxito de nuestras tácticas de ataque. Sabía que la moral siempre era un factor clave en la batalla.

Cuando supe que los franceses se estaban moviendo, atravesando las montañas en Orizaba, entré en acción. El plan de ataque y salida salió como lo planeé. Pronto descubrí, sin embargo, que estaba en la pelea de mi vida. Los soldados franceses y sus armas eran demasiado buenas para el ejército mexicano de soldados mal entrenados con viejas pistolas y machetes, hombres e indígenas zacopoaxtlas. Ataqué a los franceses en Acultzingo debajito de Orizaba, pero pronto tuve que retractarme y volver a Puebla, donde le había preparado una buena trampa a la tropa principal. Yo y mis hombres teníamos suficiente información sobre el poder del ejército francés. No íbamos a perder ni un solo hombre.

Ellos perdieron bastantes.

Cuando volvimos, hice que mis soldados dibuja-
ran un mapa con figuras para mostrarles a los demás
que un soldado mexicano que le disparaba a un francés tendría que estar entre unos 55 y 65 metros de distancia. Esa era la distancia más larga que la pólvora
disparaba las balas de plomo. Y cuando ya hubiesen
disparado nuestros soldados mexicanos tenían que
volver a cargar sus mosquetes con más pólvora y
balas de plomo. Por otro lado, el soldado francés
podía disparar una bala de plomo hacia un soldado
mexicano desde una distancia de 183 metros. El soldado francés podía parar y recargar sin miedo a que
el soldado mexicano se acercara o de que una bala le
pegara. Esos soldados que habían ido a Acultzingo
habían recibido entrenamiento no sólo con mis otros
oficiales sino que también con otros soldados rasos y
soldaderas sobre lo importante que era esperar a disparar sólo cuando estuvieran seguros de darle al tino.

Algunos de mis soldados amigos más tarde me
preguntaron si sabía que los cañones no podían disparar cuesta arriba. Los soldados no podían escalar el
lodoso cerro sin resbalarse y caerse, con frecuencia
enlodando sus armas y mojando su pólvora. Los mosquetes no podían disparar con pólvora mojada ni
podían disparar balas enlodadas. Yo había estado en
esas situaciones antes. Pensando en todo esto, posi-
cioné mis tropas a lo largo de una trinchera profunda

entre los dos fuertes cerca de la entrada a Puebla. Mandé a mis otros generales a la parte trasera de la ciudad para que nos protegieran de un ataque sorpresa, pero eso no sucedió. El general francés les ordenó a sus hombres que marcharan en línea recta por el cerro hacia los dos fuertes, para atacarnos de frente.

Mis hombres se metieron en las trincheras. Los franceses no podían ver a nadie en los fuertes. Mis soldados tenían órdenes de dispararle a las tropas que escalaran el cerro, pero sólo si estaban dentro de su alcance. Desde una seguridad relativa en las trincheras nuestros soldados no eran blanco fácil para los franceses que corrían hacia ellos, resbalando y cayendo por la enlodada pendiente. Mis soldados descansaron sus mosquetes sobre las rocas para mantenerlas lejos del lodo y para que la pólvora no se mojara. Pero todos estábamos rezando para que lloviera. Sabíamos que esto nos ayudaría más que nada contra los franceses.

Las fuerzas del general Du Lorencez llegaron a Puebla justo antes del amanecer. Estaban marchando hacia las posiciones de los mexicanos cuando se detuvieron de repente. Nunca supe por qué.

La batalla de Puebla no empezó hasta media mañana el 5 de mayo. Con las balas y los cañones disparando en ambas direcciones, la lluvia empezó a caer al mediodía. Para mediodía, Du Lorencez sabía

que estaba perdiendo a muchos hombres. La lluvia estaba cayendo con toda la furia que deseamos.

Los soldados mexicanos protegieron su pólvora de la lluvia, pero los franceses fueron tomados por sorpresa. Se mojó su munición y no les sirvió. Sus rifles se enlodaron. Sus cañones se atoraron o estaban demasiado pesados para jalarlos cuesta arriba. Después de perder a 726 hombres, el general Du Lorencez ordenó que retrocedieran a Orizaba.

Nosotros sólo perdimos a 83 hombres y 345 quedaron heridos. Las soldaderas estaban muy contentas porque la mayoría de sus hombres no salieron heridos.

Para esta pelea, sabía que tenía que derrotar al ejército francés cara a cara. Mi estrategia fue lastimar a los franceses con bajas, atacar y salir, retrasar su marcha enfrentándolos con batallas largas, desmoralizar a las tropas francesas y desviar su llegada a la Ciudad de México lo más que pudiera. Mis generales se aprendieron esta estrategia al derecho y al revés. Se comprometieron a las tácticas de retraso y desviación, atacar y correr.

En esos días mantuve al Presidente Benito Juárez informado sobre los eventos a través de telegramas. La tarde del cinco de mayo reporté que habíamos derrotado al ejército francés y que se estaba retirando hacia Orizaba. El telegrama llenó de felicidad al Presidente Juárez. Desde el primer ataque en Acultzingo,

el presidente se preguntaba si yo podría defender a la nación. Él no conocía mis planes. Pensaba que los franceses eran demasiado fuertes cuando los ataqué y volví a Puebla. Ahora con el telegrama en mano, estaba feliz de haberme escogido como Ministro de Guerra y Marina. El Presidente Juárez me ordenó que volviera a la Ciudad de México inmediatamente para darme la bienvenida como héroe. Por supuesto, yo estaba orgulloso con nuestra victoria en la primera batalla pero más feliz de estar en casa, aunque sólo fuera para visitar las tumbas de mis seres queridos. Aún quedaban mi madre y mi hija para quererlas y estar con ellas.

Antes de irme de Puebla pensé que sería prudente averiguar lo que iban a hacer los franceses en los próximos días. Mis espías en Orizaba y Veracruz reportaron que el General Du Lorencez había mandado un mensaje al Emperador Napoleón Bonaparte III diciendo que necesitaba más soldados, muchos más y que debían esperar un año más para volver a atacar la Ciudad de México por otra ruta. Entendí que lo peor estaba por venir. Esta información era muy valiosa para los futuros encuentros militares; no tenía otra forma de pensar después de haberme criado en una familia de militares y en mi propia larga carrera miliar, aunque apenas tenía 30 años.

Cuando llegué a la Ciudad de México, fui muy sincero con el Presidente Juárez. Le dije que ningún

ejército mexicano podría detener a los 30,000 soldados franceses que vendrían a invadir. El presidente
hizo sus propios planes para transferir la capital al
norte hacia la frontera con los Estados Unidos. La
ciudad llamada El Paso del Norte, o El Paso, en el
estado de Texas está al otro lado de la ciudad que fue
la capital temporaria de México entre 1862 y 1867.
Esa ciudad mexicana ahora se llama Ciudad Juárez,
en su honor.

Me hicieron un desfile para celebrar mi victoria.
Las multitudes eran grandes y bulliciosas. En su dis-
curso, el Presidente Benito Juárez dijo que yo era un
héroe mexicano por haber salvado la nación. No lo
pensaba así, ya que ésta había sido sólo una de las primeras batallas. Más importante era que mi trabajo
como soldado era seguir órdenes y hacer lo mejor para
ejecutarlas. El Presidente Juárez proclamó que cada 5
de mayo sería un día festivo nacional para México y
que se conocería como el "Cinco de Mayo".

Mi madre estaba muy orgullosa de mí. Yo estaba
muy orgulloso por tener a lo quedaba de mi familia a
mi lado, aunque dudaba que mi pequeña hijita Rafaela
supiera lo que estaba pasando. Ella no estaba segura
quién era yo, este hombre extraño que la tomaba y
besaba tanto. Ella era tan bella, como su madre.

Estuve con mi familia en casa un poco antes de
irme de la Ciudad de México. Tenía que volver a Puebla y prepararnos para volver a defender el país des-

pués de las fiestas en mi honor. Desafortunadamente, como muchos otros, me contagié de tifoidea entre mi visita a la Ciudad de México y mi regreso a Puebla.

Cuando volví a Puebla, empecé a mostrar los síntomas de la infección por varios días: dolores de cabeza, vómito, diarrea, dolores abdominales y fiebre. Los doctores no pudieron detener la infección. Sufrí fiebres acompañadas de alucinaciones raras, convulsiones y fuertes dolores de estómago por una semana. Al final, los doctores le dijeron al Presidente Juárez que no había nada más que hacer. El Presidente Juárez se lo dijo a mi madre. Yo no sé el resto de la historia porque estaba demasiado enfermo y delirante para entenderlo.

Epílogo

El cuerpo del General Ignacio Zaragoza fue llevado a la Ciudad de México para ser sepultado en eterno descanso al lado de su esposa y sus hijos en el cementerio de San Fernando en la Ciudad de México. Los únicos parientes de Ignacio Zaragoza que estuvieron a su lado durante su muerte prematura fueron su madre María de Jesús y su hija Rafaela. Durante sus funerales en la Ciudad de México, Rafaela sólo tenía tres años. No entendía por qué casi todas las personas de su familia habían muerto. El único pariente que le quedaba era su abuela de cincuenta y seis años. Por muchos años nadie supo qué pasó con su tío Elodio, el hermano mayor de Ignacio que se había ido a Texas durante la invasión estadounidense de México en 1846. Se decía que regresó a pelear en Puebla con su hermano, pero Ignacio nunca lo vio ni supo de esa historia.

El ejército Francés empezó su marcha hacia la Ciudad de México una vez más en el invierno de

1862. No enfrentó mucha resistencia. No había un Ignacio Zaragoza para detenerlo. El plan estratégico de Zaragoza para retrasar y desviar se mantuvo en pie. Las tropas mexicanas no ganaron ninguna otra batalla contra los franceses, pero sí lograron retrasarlos y desviarlos lo suficiente para que el Presidente Juárez organizara un movimiento de resistencia más formidable entre su gente. Sin embargo, los soldados del presidente no pudieron evitar que las tropas francesas tomaran control de la Ciudad de México y se volvió a repetir la toma de la ciudad por las tropas estadounidenses de 1846 en muchas formas.

Después de la victoria, el Emperador Napoleón Bonaparte III mandó al Archiduque Ferdinando Maximiliano y a su esposa, Carlota, a gobernar México. Cuando la Ciudad de México fue ocupada por las tropas francesas, Maximiliano se convirtió en el Emperador de México el 10 de abril de 1864. En 1865, los franceses, viendo que tenían poca resistencia en la capital, mandaron a la mayoría de las tropas de vuelta a Francia. Cuando la Guerra Civil estadounidense terminó, la ocupación francesa se empezó a preocupar, y la Emperatriz Carlota regresó a Francia para pedir ayuda en la lucha en contra de la resistencia mexicana que estaba creciendo en contra de su mando. El Presidente Abraham Lincoln empezó a ayudar al Presidente Juárez con armas, municiones y dinero. El resto de las tropas francesas en México no

hicieron un buen trabajo en proteger al Emperador Maximiliano y a su esposa Carlota. El Presidente Juárez siguió liderando pequeñas batallas en los próximos tres años. Se mantuvo vivo al quedarse en el norte en la zona de El Paso del Norte. Poco a poco, las tropas del presidente utilizaron las tácticas de guerrilla en contra de los soldados franceses. Al final, el ejército del Presidente Juárez pudo capturar al Emperador Ferdinando Maximiliano el 15 de mayo de 1867, un poco después de ganar la Batalla de Querétaro. Maximiliano y sus generales fueron juzgados y hallados culpables. Fueron sentenciados a morir por fusilamiento y fueron ejecutados el 19 de junio de 1867. Benito Juárez se convirtió en el indiscutido presidente de México. Como presidente, una de las primeras cosas que hizo fue ordenar que el billete de $500 pesos tuviera el retrato de Ignacio Zaragoza. Todos recordarían para siempre la cara y el nombre del héroe del Cinco de Mayo.

Años después, los restos de la familia Zaragoza fueron transferidos de Puebla a la Ciudad de México. Se erigió un monumento en la entrada de la ciudad en honor al gran hombre y a los sacrificios de su familia. El monumento de Zaragoza en Puebla, el sitio de la victoria del Cinco de Mayo fue terminado en 1876.

El enorme monumento aún está en pie y representa al General Ignacio Zaragoza montado en su caballo. Se erige imponente sobre la silueta de Puebla.

* * *

Hoy, el Cinco de Mayo se celebra tanto en México como en los Estados Unidos. En México la Batalla de Puebla se conoce como una batalla importante que detuvo a los franceses, aunque esa batalla no le puso fin al gobierno francés. En los Estados Unidos, sin embargo, Ignacio Zaragoza también es reconocido como un héroe porque nació en Goliad, Texas. Muchas personas en los Estados Unidos son de ascendencia mexicana; han vivido en las mismas regiones desde el tiempo de Zaragoza, cuando la tierra aún le pertenecía a México. El Cinco de Mayo en los Estados Unidos es una celebración de las contribuciones que la gente de origen mexicano ha hecho y continúa haciendo para este país y el mundo en general.